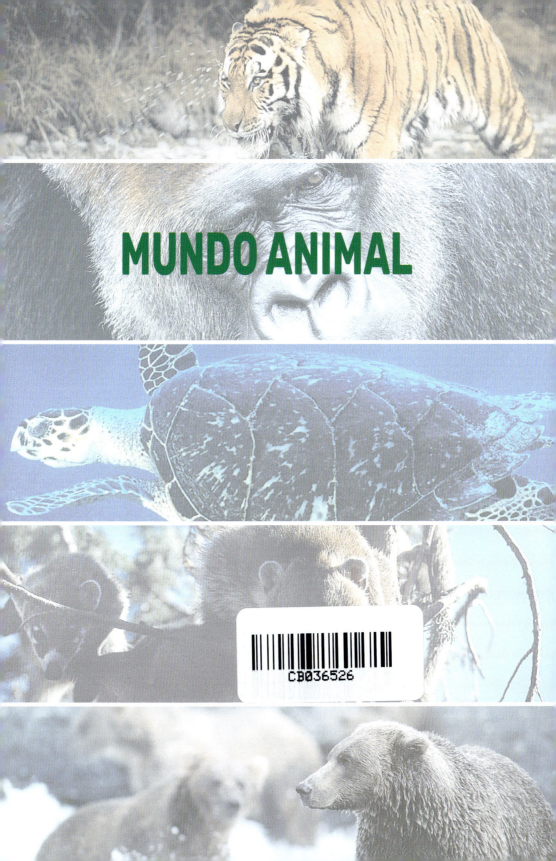
MUNDO ANIMAL

Dados Internacionais de Catalogação na Publicação (CIP)
Angélica Ilacqua CRB-8/7057

Warnau, Geneviève
  Mundo animal / Geneviève Warnau ; tradução de Maria Luisa de Abreu Lima Paz. -- Barueri, SP : Girassol, 2019.
  160 p. : il., color.

ISBN 978-85-394-2450-4
Título original: A la recontre des animaux

1. Animais - Enciclopédias infantojuvenis I. Título II. Paz, Maria Luisa de Abreu Lima

19-1633   CDD 591.03

Índices para cátalogo sistemático:
1. Animais - Enciclopédias infantojuvenis 591.03

1ª edição

© 2007 Editions Caramel S. A., Belgium

Publicado no Brasil por
Girassol Brasil Edições Eireli
Av. Copacabana, 325 - 13º andar -
Conj. 1301 - Alphaville,
Barueri - SP, 06472-001
leitor@girassolbrasil.com.br
www.girassolbrasil.com.br

Texto: Geneviève Warnau, licenciada em Ciências Zoológicas
Tradução: Maria Luisa de Abreu Lima Paz
Diretora editorial: Karine Gonçalves Pansa
Coordenadora editorial: Carolina Cespedes
Assistente editorial: Laura Camanho
Diagramação: Estúdio Asterisco

Créditos fotográficos: Corel Stock Photo: Library 1, Library 2, Library 3 e Library 4 • Digital Vision: Wild Things, Life Underwater, Just Animals, Birds, Little Creatures, Amazing Creatures • Photodisc: Object Series 21, Everyday Animals Object Series 18 • Elektra: Animal Farm • John Foxx: Amazing Animals • Wildlife Pictures: H. e P. Fanal, Robert Henno, A. d'Hendecourt, Daniel Heuclin, Gérard Lacz, Benny Odeur, Paratus S.A., Th. Provost, Patrick Roose, P. de Stexhe, E. Thibaut, Hugo Willocx • Jérôme Mallefet • Imagem de capa: Ulanga Tz/Shutterstock (uma girafa macho no Ruaha National Park)

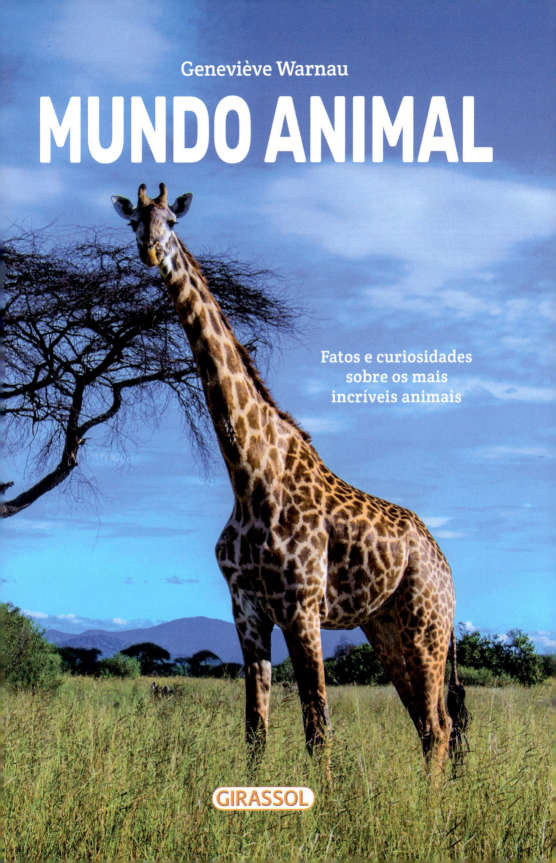

Sumário

Mapa dos principais habitats — 6

Savanas — 8
O leão – O elefante – O guepardo – A girafa – O avestruz –
A zebra – O hipopótamo – O babuíno – O rinoceronte – O leopardo

Desertos — 26
O dromedário – A cascavel – O feneco – O mangusto –
O órix – O escorpião – O lagarto-de-chifres – A cabra-de-leque –
A naja – O rato-canguru

Florestas tropicais — 40
A jiboia – O camaleão – O chimpanzé – A tartaruga terrestre –
O ocelote – O gorila – A iguana – O lêmure – O orangotango –
A arara – A píton – O tamanduá – A anta – O tucano – O tigre

Regiões montanhosas — 60
A águia-real – O lhama – O puma – A marmota – O panda-
-gigante – O urso-pardo – O falcão-peregrino

Regiões polares — 72
O leão-marinho – A morsa – A raposa-do-ártico – O urso-polar –
A foca – O pinguim – A orca

Mares e oceanos   86

A baleia – A barracuda – O coral – O golfinho – A estrela-do-mar – O cavalo-marinho – O peixe-boi – A medusa – A raia – A tartaruga marinha – O tubarão – O baiacu-de-espinho – O peixe-palhaço

Rios e lagos   102

A sucuri – O castor – O sapo – O cisne – O crocodilo – A rã – A libélula – A lontra – O guaxinim – A salamandra – O martim- -pescador – A cegonha – O lúcio – A truta

Planícies e pradarias   120

O cão-da-pradaria – O emu – O coiote – O suricato – O canguru – A víbora – O tatu – O coelho

Bosques e florestas   132

O percevejo – O quati – A coruja – A raposa – O pica-pau – O texugo – O cangambá – O esquilo

O Reino Animal   144

Os invertebrados – Os vertebrados

Índice alfabético   158

Neste livro, os animais estão divididos por habitat, mas não esqueça que alguns animais podem viver em vários habitats diferentes. Em geral, você encontrará estas informações no texto referente a cada animal.

5

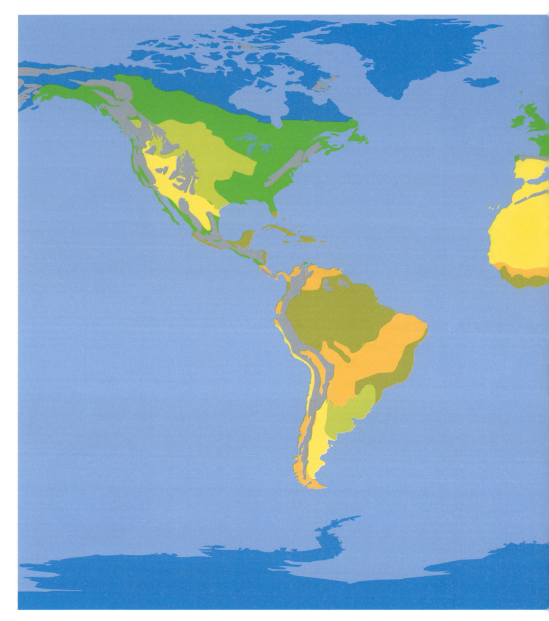

Mapa dos principais habitats

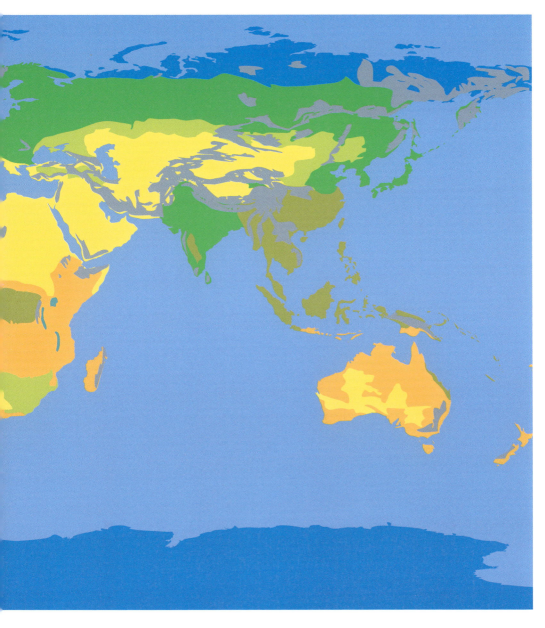

Desertos
(regiões desérticas e semidesérticas)

Savanas
(savanas e estepes tropicais)

Rios e lagos

Florestas tropicais

Planícies e pradarias

Savanas

O LEÃO

O leão é o único felino que vive e caça em grupo. Muitas vezes chamado de "rei dos animais", o macho reina majestosamente com sua bela juba entre as fêmeas de seu grupo. Para manter os intrusos afastados de seu território, solta rugidos terríveis que podem ser ouvidos a 10 km de distância. Porém, é um grande preguiçoso que passa cerca de vinte horas por dia dormindo ou descansando. Aliás, é uma leoa quem chefia o grupo. São também as leoas do grupo que caçam e cuidam dos filhotes. Os leõezinhos são verdadeiras bolinhas de pelo que passam os primeiros três meses de vida com a mãe, separados do grupo. Quando atingem cerca de três anos, os jovens machos adultos são expulsos pelo macho dominante. Procuram, então, tomar o lugar de um macho dominante em outro grupo.

11

O ELEFANTE

Existem duas espécies de elefantes: o asiático e o africano (é este último que você vê nas fotos). Você sabia que ele é o maior animal terrestre, atualmente? Ao nascer, o filhote de elefante já pesa mais de 100 kg. Quando adulto, pode pesar até 6 toneladas e medir cerca de 4 metros de altura. O elefante é tão pesado que precisa dormir em pé e é incapaz de saltar obstáculos, por menores que sejam. É um animal pacífico, mas quando se sente ameaçado, não hesita em correr a toda velocidade na direção de seus agressores agitando as orelhas, o que o torna bastante assustador e às vezes muito perigoso. As orelhas do elefante são muito importantes, porque são elas que lhe permitem transpirar.

O elefante come e bebe com a ajuda da tromba, que tem na ponta dois "dedos" muito ágeis. Às vezes, ele procura alimento com a ajuda de suas presas, que são feitas de marfim. Na verdade, são dentes incisivos muito desenvolvidos.

13

O guepardo é um animal incrível! É o rei da savana. O corpo deste felino foi mesmo projetado para a corrida. Aliás, ele é o animal terrestre mais rápido do planeta. Pode atingir a incrível velocidade de 110 km/h, o que lhe permite caçar presas muito velozes, como as gazelas. No entanto, apesar de sua velocidade recorde, o guepardo fracassa nove vezes em cada dez tentativas de caça, como a maioria dos predadores! Ao contrário dos outros felinos, ele caça durante o dia e suas garras não são totalmente retráteis, permitindo se agarrar ao solo e acelerar ou virar bruscamente em plena corrida. Sua cauda comprida é muito útil para manter o equilíbrio durante suas corridas desenfreadas. Quando não está caçando, o guepardo permanece em seu covil. É ali que a fêmea dá à luz quatro a seis filhotes que não pesam mais que uma laranja. Eles deixam a mãe com cerca de um ano e meio, mas os irmãos permanecem juntos até se tornarem bons caçadores.

O GUEPARDO

A GIRAFA

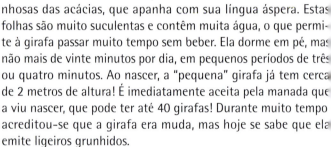

A girafa é o animal mais alto do planeta. Do alto de seus seis metros, ela domina a savana e desempenha o papel de um verdadeiro sentinela, detectando imediatamente a aproximação dos grandes predadores. Seu tamanho também lhe permite procurar nos galhos mais altos das árvores o seu alimento favorito: as folhas espinhosas das acácias, que apanha com sua língua áspera. Estas folhas são muito suculentas e contêm muita água, o que permite à girafa passar muito tempo sem beber. Ela dorme em pé, mas não mais de vinte minutos por dia, em pequenos períodos de três ou quatro minutos. Ao nascer, a "pequena" girafa já tem cerca de 2 metros de altura! É imediatamente aceita pela manada que a viu nascer, que pode ter até 40 girafas! Durante muito tempo acreditou-se que a girafa era muda, mas hoje se sabe que ela emite ligeiros grunhidos.

O AVESTRUZ

Com quase 3 metros de altura e 150 kg, o avestruz é a maior e mais pesada ave do mundo! É incapaz de voar, mas suas patas muito fortes lhe permitem correr tão depressa quanto um cavalo em pleno galope. Pode até carregar um homem nas costas! O avestruz vive em pequenos grupos compostos por um macho e três ou quatro fêmeas. No período de acasalamento, o macho escava um buraco no solo. Este buraco com um metro de diâmetro serve de ninho para todas as suas fêmeas. Cada uma põe ali sete ou oito ovos enormes, que pesam 1,5 kg cada – o equivalente a 25 ovos de galinha! O macho e a fêmea dominantes dividem a tarefa de chocar os ovos durante 42 dias. Depois da eclosão, o bando cuida dos filhotes em conjunto. O avestruz alimenta-se de raízes, folhas, insetos, lagartos e pequenos roedores, que engole inteiros. Atualmente, muitos avestruzes são criados em fazendas, porque sua carne é muito apreciada e seu consumo é cada vez mais comum.

A ZEBRA

Este pequeno cavalo listrado nunca se deixou domesticar pelo homem! Vive apenas em estado selvagem, em grupos familiares chefiados por um macho. Várias famílias dividem um grande território e se reconhecem entre si por suas listras, sua voz e seu cheiro. As listras são diferentes em cada zebra e permitem identificá-la. Portanto, podemos comparar o desenho destas listras a uma impressão digital ou a um "código de barras" gigante. Além disso, as listras da zebra podem servir de camuflagem contra os predadores, especialmente os leões. A zebra come principalmente capim, às vezes folhas e cascas de árvore, e precisa beber entre oito e dez litros de água por dia. A fêmea dá à luz um filhote após um ano de gestação. O pai é muito protetor e, se o filhote for ameaçado por um predador, não hesitará em defendê-lo com fortes coices que amedrontam e afastam as leoas.

O HIPOPÓTAMO

O hipopótamo é um mamífero que vive na água e na terra. Tem cerca de 4 metros de comprimento e pode pesar até 4 toneladas. Passa o dia dormindo ou descansando nos rios africanos. Durante a noite, sai da água para mascar capim fresco nas pradarias ao redor. Consegue se esconder quase totalmente dentro da água, deixando de fora as narinas, os olhos e as orelhas. Assim pode cheirar, ver e ouvir tudo o que se passa fora da água sem ser notado. É como um peixe dentro da água, mas também é muito ágil em terra firme, podendo correr a uma velocidade de 30 km/h. Os enormes caninos inferiores do hipopótamo são feitos de marfim e ficam sempre à mostra em seus enormes bocejos! Os machos utilizam essas armas poderosas para lutar entre si durante a época de reprodução. O acasalamento acontece dentro da água. A fêmea dá à luz em terra firme, mas logo volta para a água com seu bebê. Aliás, é debaixo da água que amamenta o filhote.

O BABUÍNO

O babuíno vive numa colônia de 30 a 100 indivíduos, organizada hierarquicamente. É um animal inteligente e dotado de uma grande capacidade de aprendizagem. Quando vê uma tenda, não hesita em entrar nela para roubar o que encontrar, antes de destruir todo o resto! Gosta principalmente dos lugares rochosos da savana. Alimenta-se de capim, frutas, insetos e pequenos répteis – chega a caçar até pequenos antílopes! Está adaptado à vida no solo e caminha apoiado sobre a planta dos pés e a palma das mãos, por isso dizemos que é "plantígrado". O macho é duas vezes maior que a fêmea, podendo medir mais de 1 metro e pesar 40 kg. A gestação dura seis meses, em seguida a fêmea dá à luz um único filhote, que fica agarrado à sua barriga quase o tempo todo. O babuíno tem uma força surpreendente e pode ser muito agressivo, a ponto de espantar até o seu pior inimigo: a pantera.

O RINOCERONTE

O rinoceronte é o segundo maior animal terrestre – vem logo depois do elefante que, evidentemente, está em primeiro lugar nesta categoria. Porém, apesar de suas 3 toneladas, é ágil e consegue galopar tão depressa quanto um cavalo! Vive em grupos familiares de três ou quatro indivíduos que se locomovem lentamente na savana, mascando capim. Sua visão é fraca, mas seu faro e ouvido são excelentes. O rinoceronte asiático tem um único chifre sobre o nariz, enquanto o africano tem dois. Estes chifres podem medir até 1,5 m de comprimento! São diferentes dos chifres da vaca, porque são feitos do mesmo material que nossas unhas. Foi por causa deles que os caçadores quase extinguiram o rinoceronte. Na verdade, o chifre é vendido por um preço muito alto. Serve para fabricar objetos e medicamentos muito procurados na Ásia e na África. A pele do rinoceronte é muito grossa e o protege como um escudo. No rinoceronte indiano, a pele em forma de "placas" dá a impressão de estar coberta por uma verdadeira armadura. O rinoceronte não tem medo de nenhum outro animal – só do homem!

O leopardo é um excelente alpinista. Na verdade, este felino robusto e solitário passa grande parte de seu tempo no alto das árvores, vigiando seu território, que pode se estender por mais de 100 km². Quando anoitece, sai de seu esconderijo para caçar. Suas presas favoritas são a gazela e o babuíno. O leopardo tem poucos inimigos, só os leões, as hienas e os grandes babuínos ousam atacá-lo... E o homem, que o caça por causa de sua pele. Você sabia que o leopardo e a pantera são o mesmo animal? Alguns leopardos são negros, como a pantera-negra, ou quase brancos, como o leopardo-das-neves. Quando a fêmea está pronta para acasalar, expele uma urina especial que atrai os machos, desencadeando uma competição da qual sai apenas um vencedor. Quatro meses depois, a fêmea dá à luz um a seis filhotes, que deixam a mãe por volta dos dois anos de idade para viverem sozinhos.

O LEOPARDO

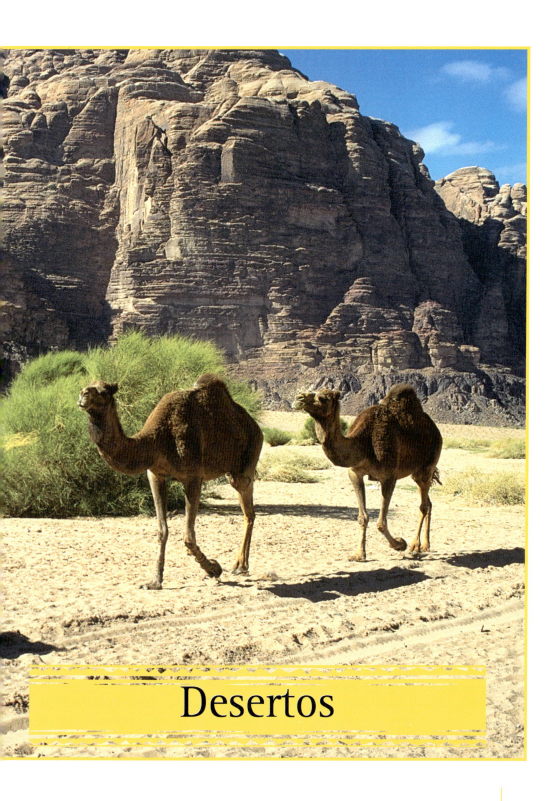

Desertos

O DROMEDÁRIO

Os dromedários são ruminantes que vivem no norte da África e no Oriente Médio. Há também alguns milhares na Austrália, pois o dromedário foi introduzido pelo homem naquele país no fim do século 19. O dromedário é muito parecido com seu primo da Ásia Central, o camelo, mas você pode distingui-los facilmente: o dromedário só tem uma corcova, enquanto o camelo tem duas. Na verdade, estas corcovas são reservas de gordura que lhe permitem passar alguns dias sem comer nem beber. O dromedário está bem acostumado ao deserto. Seus pés não se enterram na areia e suportam o calor, e ele não tem problemas em se alimentar das plantas espinhosas que crescem ali. Além disso, consegue fechar suas grandes narinas para impedir a entrada de poeira durante as tempestades de areia. O dromedário não existe em estado selvagem. É utilizado como montaria (para transportar pessoas) ou como animal de carga (pode transportar pesos de até 450 kg).

A CASCAVEL

A cascavel é a prima americana da víbora. Pode medir até 1,50 m de comprimento. Como todos os répteis, a cascavel troca regularmente de pele, que é composta por milhares de escamas. O "chocalho" que possui na ponta da cauda é formado por anéis de pele grossa. Quando nasce, a cascavel tem apenas dois anéis encaixados. Em cada troca de pele crescem outros anéis, um a um, formando rapidamente uma espécie de chocalho. Quando está inquieta, a cascavel levanta e agita a cauda, fazendo vibrar os anéis. O chacoalhar de sua cauda pode ser ouvido ao longe e previne os intrusos de que é melhor se desviarem de seu caminho, se não quiserem dar de cara com sua língua venenosa! Quando ouvimos este ruído, a cascavel pode estar a 20, ou mesmo a 30 metros de distância! Seus hábitos são, principalmente, noturnos. Passa o dia à sombra e sai para caçar ao anoitecer. Não escuta, mas pode sentir suas presas (roedores, aves, rãs) pelo calor que emitem. Seu veneno é muito perigoso e mata rapidamente suas presas podendo ser mortal também para o homem.

O FENECO

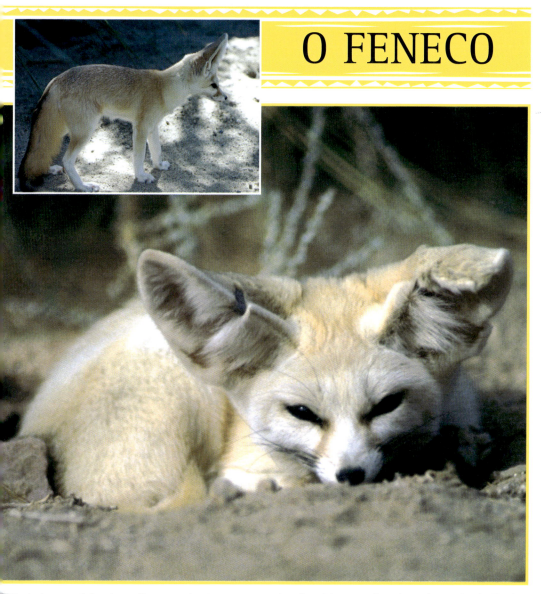

Esta raposinha de orelhas grandes tem um ar muito simpático e pode até ser domesticada. Porém, não devemos esquecer que, na natureza, é um animal selvagem, um carnívoro muito ágil que pode ser bastante agressivo. Caça durante a noite. Alimenta-se de pequenos roedores, aves, lagartos e insetos (especialmente gafanhotos), e às vezes completa sua dieta com algumas frutas. Passa o dia numa toca geralmente escavada na areia, ao abrigo do calor escaldante do deserto. Esta toca contém vários túneis e um compartimento forrado de plantas, pele e penas que servem de cama. É aqui que o feneco vive em casal ou em família. A fêmea tem uma ninhada por ano, dando à luz duas a cinco raposinhas após cerca de 50 dias de gestação.

O MANGUSTO

O mangusto mede um metro de comprimento, incluindo a cauda. É um adversário muito ágil e temido, pois é persistente e nunca larga sua presa. O mangusto é também o inimigo mais famoso da assustadora naja. Não tem medo de enfrentá-la, e geralmente sai vencedor do confronto. Evita a língua da serpente esquivando-se bem depressa de seus ataques, até conseguir saltar e agarrá-la pela nuca.

O mangusto está protegido por sua pele e pelo espessos, e por sua grande resistência ao veneno. O mangusto era sagrado para os egípcios no tempo dos faraós. Alguns destes animais chegaram a ser encontrados mumificados dentro das pirâmides. Na verdade, o mangusto gostava tanto de comer ovos de crocodilo que impedia que estes perigosos animais se multiplicassem demais nas margens do Nilo.

O ÓRIX

Este belo antílope com a cabeça e as patas manchadas de preto é muito resistente. Pode caminhar durante 18 horas sem parar e percorrer mais de uma centena de quilômetros em busca de um lugar para comer. O órix come capim, frutas e raízes, com os quais satisfaz boa parte de suas necessidades de água. Seu principal inimigo é a pantera, mas atacar o órix é uma tarefa muito perigosa! Na verdade, ele é bem capaz de vencer seus inimigos atravessando-os com seus chifres compridos e afiados como espadas, que podem medir mais de um metro de comprimento. O órix vive em manadas de dez a vinte indivíduos, com o mesmo número de machos e fêmeas. A manada é muito importante. Quando um macho se perde, ele volta ao local onde esteve com a manada pela última vez e fica esperando sozinho pelo seu regresso.

O ESCORPIÃO

O escorpião possui até doze olhos, mas isso não o impede de ter uma péssima visão! Ainda bem que não precisa muito dela por ser um animal noturno, que caça durante a noite e consegue sentir suas presas (aranhas, insetos) graças a pelos muito sensíveis às vibrações. Quando agarra uma presa com suas pinças, imobiliza-a injetando veneno com o ferrão que tem na ponta da cauda. A picada do escorpião pode ser comparada à da abelha, portanto, ao contrário do que se costuma pensar, geralmente não é perigosa para o homem. Mas, cuidado! A picada de alguns escorpiões, como os que vivem no Saara, pode ser mortal! Durante o acasalamento, o macho e a fêmea se agarram pelas pinças e o macho vira a fêmea, para fazê-la passar sobre o sêmen que depositou no solo. Quando nascem, os filhotes de escorpião ficam protegidos sobre as costas da mãe durante dez dias. Seu tamanho adulto atinge, dependendo da espécie, 2 a 18 cm de comprimento.

35

O LAGARTO-DE-CHIFRES

Este pequeno réptil com cerca de 15 cm parece até um monstro saído de uma velha lenda para impedir as crianças de dormir! No entanto, apesar de sua aparência, ele é dócil e inofensivo. Você pode até segurá-lo na mão. Seu corpo largo e achatado é completamente coberto de espinhos. De cada lado da cabeça saem dois espinhos bem mais fortes que os outros e espetados como chifres. Seus predadores precisam ter uma boca forte para comer um bichinho tão espinhoso! O lagarto-de-chifres também é bem-adaptado para viver no deserto: de manhã cedinho, o orvalho se condensa sobre seus espinhos e desliza para sua boca. Assim, ele pode viver durante semanas sem encontrar água. Para se proteger do calor, pode também enterrar-se na areia. Alimenta-se principalmente de formigas e, assim como o camaleão, consegue mudar de cor.

A CABRA-DE-LEQUE

A cabra-de-leque é muito comum na África meridional. É uma espécie de gazela que vive em manadas com 10 a 200 membros, ou até mais. É ela quem detém o recorde de salto em distância: seus saltos podem atingir 15 metros! Pode viver sem nunca beber, pois sua alimentação é variada (frutas, flores, plantas, bulbos) e lhe fornece toda a água que precisa. É a única gazela capaz de comer certas plantas tóxicas. Quando um predador se aproxima, muitas vezes é ela quem avisa os outros animais, dando grandes saltos no mesmo lugar, que podem atingir 3 metros de altura, mantendo as patas retas e o dorso arqueado. Em geral, a cabra-de-leque não conta com seus pequenos chifres para se defender, preferindo fugir. Aliás, pode correr a uma velocidade incrível de até 65 km/h para escapar das hienas e leões. De dois em dois anos, a fêmea dá à luz um filhote (raramente dois) após quatro a seis meses de gestação. As mães formam uma espécie de "creche" no seio da manada e criam todos os filhotes em conjunto.

A NAJA

As najas são as maiores cobras venenosas do mundo. O recorde pertence à naja-real, que mede metros de comprimento! Quando incomodada (é o caso da cobra que você vê abaixo), ela se levanta e estica a pele do pescoço de forma impressionante. O veneno das najas é extremamente poderoso, a tal ponto que uma picada poderia matar até um elefante. Algumas najas, como a que você pode ve na foto à esquerda, expelem seu veneno pelas quelíceras. Este jato pode ser lançado a até 2 metros de distância e visa sempre os olhos do adversário, para deixá-l cego. As najas alimentam-se principalmente de outras cobras e lagartos. Têm poucos inimigos; na verdade, só os man gustos e serpentários conseguem matá-las. A naja é a cobr favorita dos encantadores de serpente da Índia, que a fazer erguer-se lentamente ao ritmo da flauta. Na realidade, el não ouve a música, pois é surda, limitando-se a seguir c movimentos da flauta do encantador.

O RATO-CANGURU

O rato-canguru ou gerbo não tem um nome muito apropriado! Na verdade, ele não é um rato, muito menos um canguru, e sim um esquilo. É menor que o esquilo-vermelho e vive na Índia. Como todos os esquilos terrestres, sua cauda não é muito grossa e suas patas dianteiras são robustas, permitindo-lhe escavar a terra. Este esquilo vive numa toca que estava sozinho. Ao contrário dos esquilos arborícolas, as espécies terrestres hibernam, isto é, passam o inverno dormindo em sua toca. De acordo com a espécie, a gestação dura 24 a 44 dias e o número de filhotes varia entre três e oito por ninhada.

O rato-canguru é vegetariano (você pode vê-lo roendo uma grande semente nesta foto), mas de vez em quando não recusa insetos, ovos, ou até pequenas aves. Às vezes, pode causar estragos consideráveis nas plantações de cereais.

39

Florestas tropicais

A JIBOIA

A jiboia é uma grande cobra que mede até 4,5 m de comprimento. Sua língua é bifurcada (a ponta é dividida em duas) e a jiboia a utiliza como um "nariz" para identificar os cheiros do ambiente ao seu redor. É solitária e de hábitos noturnos. Durante o dia, abriga-se junto a rochedos ou em árvores, como a jiboia de Madagascar que você vê nesta foto. A jiboia é ovovivípara, isto é, a fêmea mantém os ovos dentro de seu corpo até eclodirem. São pequenas serpentes totalmente formadas que saem do ventre da mãe. Em geral, são entre 20 e 50, e ao nascer já medem 50 cm de comprimento. A jiboia não é uma grande caçadora, mas, felizmente, pode passar várias semanas sem comer. Alimenta-se de grandes lagartos (como a iguana), aves e mamíferos (ratos, mangustos, esquilos, ocelotes). Não é venenosa e mata suas presas por asfixia, enrolando-se em volta de seu corpo. Normalmente não ataca o homem, exceto se estiver faminta ou sentir-se encurralada.

O CAMALEÃO

O camaleão é um réptil que mede, conforme a espécie, 7 a 60 cm de comprimento. É um mestre na arte da camuflagem: pode mudar de cor de acordo com o ambiente ao seu redor (para passar despercebido aos olhos de suas presas e seus predadores) e com a sua disposição (para mostrar que está zangado, por exemplo). Em geral, a fêmea do camaleão põe ovos e os filhotes nascem após seis a nove meses. Os olhos do camaleão têm uma característica especial: são completamente independentes um do outro, o que dá a ele um campo de visão bem grande. É capaz de observar com um dos olhos uma presa à sua frente e vigiar com o outro a eventual presença de inimigos nas redondezas, e tudo isso sem precisar virar a cabeça! Suas presas favoritas são os insetos. Quando encontra um inseto ao seu alcance, o camaleão faz pontaria com os dois olhos para poder avaliar melhor a distância. Depois estica sua língua grudenta (que é mais comprida que seu corpo) com uma rapidez e uma precisão incríveis, agarra o inseto e o engole inteiro!

O chimpanzé vive num grupo familiar e tem relações sociais muito evoluídas. Para dizer bom-dia, toca na ponta dos dedos, dá um beijinho ou um tapinha nas costas. Está em primeiro lugar entre os animais mais inteligentes. Utiliza ferramentas (como uma pedra para quebrar nozes, por exemplo), atira pedras em seus inimigos e bebe água fabricando uma tigela com folhas. Vive principalmente nas árvores, mas também caminha no chão e pode até correr apoiado nos dois membros inferiores, como nós. À noite, o grupo todo se reúne numa grande árvore e prepara ninhos com a ajuda de folhagens, para passar a noite. A fêmea pode ter filhotes a partir dos cinco ou seis anos e a gestação dura nove meses, como na mulher. Embora o filhote de chimpanzé seja muito carinhoso e engraçado, e adore brincar e fazer um monte de besteiras, lembre-se que os adultos são animais muito fortes, com os quais devemos ter cuidado – um macho grande atinge 1,7 m e pesa até 70 kg! Nos zoológicos, os chimpanzés costumam ser colocados em pequenas ilhas. Sabe por quê? Porque não sabem nadar, e por isso não podem fugir!

O CHIMPANZÉ

A TARTARUGA TERRESTRE

A tartaruga terrestre, ou jabuti, é um dos animais mais antigos do mundo. Já existia bem antes dos dinossauros! Sua carapaça feita de placas ósseas é muito sólida e serve de abrigo. Quando se sente ameaçada, a tartaruga pode se esconder quase totalmente dentro dela. Porém, esta carapaça é muito pesada, impedindo a tartaruga de se locomover rapidamente. A tartaruga que você vê nestas fotos é uma tartaruga-gigante. Só é encontrada nas ilhas Seychelles, Aldabra e Galápagos. As tartarugas terrestres podem ser facilmente distinguidas de suas primas aquáticas, pois sua carapaça é convexa e seus pés são compactos, não achatados e munidos de garras. Ela não tem dentes, mas possui um bico afiado com o qual colhe e corta as plantas e frutas de que se alimenta. Durante o período de reprodução, a fêmea escava um buraco onde introduz seus ovos, depois se afasta. Adulta, a tartaruga pode medir até 1,2 m de comprimento e pesar mais de 220 kg. É também a campeã de longevidade: pode viver mais de 150 anos! Alguém consegue viver mais?

O OCELOTE

Você sabia que ainda existem gatos selvagens? Entre eles, o ocelote é o mais espalhado pelas Américas Central e do Sul. Tem um belo pelo malhado e olhos grandes muito bem-adaptados à visão noturna. É um excelente escalador. Aliás, é essencialmente arborícola, pois vive e dorme em cima das árvores. Se você observar um gato doméstico descendo de uma árvore, verá que ele faz isso cuidadosamente e mantendo a cabeça virada para cima. O ocelote é capaz de descer das árvores correndo com a cabeça para a frente, como os esquilos! Suas presas são macacos, gambás e, evidentemente, aves. Após três meses de gestação, a fêmea dá à luz um ou dois filhotes que são desmamados por volta dos dois meses de idade. Quando seu habitat natural (a floresta tropical) é destruído pelo homem, o ocelote não consegue se adaptar a outros ambientes. Além disso, ninguém conseguiu fazer o ocelote se reproduzir em cativeiro ainda, por isso é considerado uma espécie ameaçada de extinção.

O GORILA

É o maior de todos os macacos. Pesa até 300 kg e pode atingir 2,30 m de altura. Quando se sente incomodado, fica em pé e grita, batendo no peito com os punhos para impressionar o adversário. Porém, apesar de sua incrível força física e da imagem de animal feroz que costumamos ter dele, o gorila é tímido. Hoje sabemos que, ao cruzar com um homem, ele desvia, a menos que se sinta ameaçado. Ao contrário dos outros macacos, o gorila raramente sobe em árvores. Prefere caminhar no chão, apoiando-se nos quatro membros. Vive num grupo constituído por um macho adulto, três a quatro fêmeas e seus filhotes. Passa a maior parte do tempo procurando folhas, flores, raízes e brotos de bambu de que se alimenta e dormindo ao sol. Toda noite, antes de dormir, prepara um ninho com folhagens, geralmente ao nível do chão. Seu principal inimigo é o homem. O gorila foi caçado durante muito tempo pelos colecionadores de troféus. Atualmente, é uma espécie protegida, mas os caçadores furtivos ainda fazem um grande número de vítimas.

A IGUANA

A iguana é um lagarto gigante cujo comprimento pode atingir 1,50 m. Tem uma crista de espinhos que vai da cabeça até a ponta da cauda, fazendo com que pareça um dragão. Vegetariana, tem muitos dentes pequenos que lhe permitem alimentar-se de plantas como os cactos. De vez em quando, come também alguns vermes e insetos. Apesar de sua grande estatura, pode ser arborícola, isto é, viver nas árvores. Geralmente vive perto da água, mergulhando nela ao menor sinal de perigo. Desce regularmente ao solo, para fazer com que seus semelhantes respeitem seu território. As fêmeas costumam ser mais agressivas que os machos, sobretudo quando se trata de disputar os melhores locais no chão para instalar seu ninho. Apesar disso, a iguana é um animal dócil e inofensivo, que pode ser domesticado com facilidade.

O LÊMURE

Este animalzinho simpático pertence a um grupo de mamíferos próximos dos macacos. É encontrado somente na ilha de Madagascar. Passa a maior parte do tempo em cima das árvores e se locomove saltando de galho em galho. Quando está no chão, anda como um felino: com a cauda erguida e balançando-se de um lado para o outro. Existem várias espécies de lêmures e o mais conhecido é o "lêmure-de-cauda-anelada", que está representado nestas fotos. Como você pode ver, ele tem uma bela cauda comprida com anéis pretos e brancos, que o ajuda a manter o equilíbrio quando salta. O lêmure-de-cauda-anelada vive num grupo familiar. É herbívoro, mas pode comer também lagartos e insetos. Embora seja uma espécie protegida, o lêmure-de-cauda-anelada ainda é caçado regularmente pelos malgaxes, que apreciam muito sua carne, e infelizmente está em risco de extinção.

O ORANGOTANGO

O orangotango vive na selva pantanosa das ilhas indo-malaias de Bornéu e Sumatra. Em malaio, "orangotango" significa "homem da floresta". Sua esparsa pelagem avermelhada dá ao orangotango seu aspecto característico. É muito ágil para se deslocar de galho em galho, mas não é muito gracioso no chão. Na verdade, caminha muito mal porque suas pernas arqueadas são curtas e ele não tem calcanhar. O orangotango é vegetariano e sua fruta preferida é o durião – uma grande fruta verde que cheira muito mal! Para dormir, ele constrói uma plataforma de galhos e folhas nas árvores, e passa a noite ali. A fêmea dá à luz um único filhote, que fica junto a ela até os cinco anos. Depois os jovens adolescentes vivem em pequenos grupos até atingirem a maturidade, entre os sete e os dez anos. Na idade adulta, o orangotango é um animal um tanto solitário, mas às vezes passa alguns dias com outros indivíduos.

A ARARA

As aves coloridas que você vê nestas fotos chamam-se araras. São aves de grande porte, maiores que os papagaios. Se contarmos com a cauda, medem quase um metro de comprimento. São também mais raras, por isso atualmente é proibido capturá-las e tirá-las de seu meio ambiente.

A arara vive nas árvores, sendo um dos grandes animadores da floresta tropical. Na verdade, faz um barulho incrível, soltando gritos de todos os tipos. É muito curiosa e inspeciona tudo ao seu redor. Tem também um grande talento como imitadora: é capaz de repetir palavras e de reproduzir uma campainha de telefone. Come frutas, insetos e sementes. Seu bico é muito forte e serve para quebrar nozes, mas também para se pendurar nos galhos. Quando um macho vê uma fêmea, corteja-a exibindo todas as cores de sua plumagem. Aí a fêmea sabe que ele quer formar um casal, o que é muito importante, pois a arara é fiel e permanece com seu companheiro durante toda a vida.

A PÍTON

A píton é uma parente próxima da sucuri e da jiboia e, assim como elas, não injeta veneno com os dentes. A píton é ativa, principalmente, ao amanhecer e ao anoitecer. Mata suas presas enrolando-se em volta delas e apertando cada vez mais seus anéis, para asfixiá-las. Suas presas mais comuns são pequenos roedores como ratos ou gerbos, mas chega a matar animais bem maiores. Dizem que uma píton poderia matar e comer até um leopardo! Uma refeição dessas seria suficiente para várias semanas. As maiores pítons têm mais de 6 metros de comprimento. Quando se sente ameaçada, a píton se defende fugindo, lutando ou enrolando-se como uma bola. A píton é ovípara – as fêmeas põem ovos. Os filhotes trocam de pele quatro a seis vezes por ano, os adultos apenas uma a três vezes por ano. A píton troca a pele da cabeça à cauda num único pedaço, mais ou menos como quando você tira do pé uma meia bem comprida. Esta mudança de pele pode demorar até dez dias.

O TAMANDUÁ

O tamanduá é um animal estranho, do qual você certamente já ouviu falar. É parente da preguiça e, assim como ela, pertence à ordem dos desdentados. É um verdadeiro aspirador de formigas e cupins. Na verdade, alimenta-se destes insetos quebrando os formigueiros e cupinzeiros com a ajuda de suas grandes patas com garras, e enfiando neles sua língua viscosa e comprida, com 40 cm. Devora até 30 mil insetos por dia! O mais surpreendente neste animal é sua cabeça comprida, que termina numa boca minúscula, pela qual desliza sua língua grudenta. O tamanduá é inofensivo, mas se for atacado defende-se energicamente com suas garras. Chega a asfixiar seus predadores (o puma e a onça) introduzindo a língua em suas narinas! Após seis meses de gestação, a fêmea dá à luz um filhote que ficará com ela por dois anos, antes de partir para viver sozinho. Durante estes dois anos, a mãe costuma carregá-lo às costas.

A ANTA

Que animal curioso é a anta! Tem a barriga grande como a de um porco e na cabeça uma pequena crista, que termina numa espécie de tromba bastante móvel. Esta tromba permite arrancar os galhos ou as plantas das quais se alimenta e, quando está dentro da água, serve como um tubo de respiração. Aliás, a anta é uma excelente nadadora e passa muito tempo dentro da água. É um animal tranquilo e medroso, que costuma viver em grupos pequenos. É principalmente noturno, dormindo de dia e procurando alimento à noite. Os filhotes de anta têm listras marrons e beges com manchas brancas e parecem javalis. Quando é perseguida por um predador (puma, tigre, pantera), a anta tenta fugir enfiando-se na vegetação densa. A anta brasileira que você pode ver nestas fotos (com pele acizentada) é caçada também pelo homem por causa de sua carne, embora seu consumo seja rigorosamente proibido. Algumas populações também a usam como medicamento. Acreditam que o coração da anta pode curar a epilepsia, por exemplo.

O TUCANO

O tucano é uma bela ave das Américas Central e do Sul. É muito colorido e possui um enorme bico característico. Este bico é oco, por isso não é tão pesado quanto parece. Não se sabe exatamente para que ele serve, mas alguns especialistas acreditam que seja simplesmente um instrumento de intimidação entre os machos. O tucano vive em grupos com cerca de uma dúzia de indivíduos. É um animal muito barulhento e participa ativamente da algazarra que reina na floresta tropical! Alimenta-se de frutas, sementes, insetos e aranhas. No cortejo nupcial, o macho e a fêmea passam ou atiram frutas um ao outro com a ajuda do bico. O casal permanece unido durante muitos anos. Uma vez por ano, a fêmea põe dois a quatro ovos brancos dentro de um abrigo num tronco de árvore. Chocados pelos pais, os ovos eclodem após quinze dias e os filhotes abandonam o ninho com cerca de oito semanas de vida. Os homens da floresta gostam muito do tucano. Ele pode ser domesticado como um papagaio e suas belas penas são muito apreciadas para a fabricação de enfeites e ornamentos.

O TIGRE

Este belo animal é o maior de todos os felinos – pode pesar cerca de 300 kg e atingir mais de 3 metros de comprimento! Portanto, não é de admirar que seja o predador mais temido da selva. Em geral, é menos veloz que suas presas, mas compensa esta desvantagem com uma abordagem paciente e um ataque fulminante. É o único felino que enxerga as cores e, como você pode ver nestas fotos, não tem medo da água. O macho vive num extenso território de caça, que defende ferozmente. A fêmea dá à luz dois a quatro filhotes após quatro meses de gestação. Eles passam vários anos com a mãe para aprender a caçar. O tigre não tem inimigos com exceção do homem, que quase o exterminou no início do século 20, unicamente para a satisfação dos colecionadores de troféus! Atualmente o tigre é uma espécie protegida por lei, mas hoje só existem menos de 5 mil no mundo. Sua caça furtiva ainda causa prejuízos: a pele de um tigre é vendida por uma fortuna, e diferentes partes do seu corpo são utilizadas na medicina tradicional chinesa!

Regiões montanhosas

A ÁGUIA-REAL

A águia-real é uma ave de rapina esplêndida e majestosa, cuja distância de uma asa a outra pode ultrapassar 2 metros. Vive em pares e faz seus ninhos nas escarpas montanhosas ou, mais raramente, no topo de uma árvore. Seu ninho é feito com folhagens e coberto de capim, às vezes com cerca de 2 metros de diâmetro. É neste ninho que a fêmea põe e choca seus ovos, geralmente entre um e quatro. Enquanto a mãe toma conta dos filhotes, o pai vai caçar para trazer alimento. Para encontrar suas presas (coelhos, marmotas, lagartos, e às vezes até jovens camurças, raposas ou cordeiros), a águia-real sobrevoa seu território, que pode atingir 300 km^2. Quando avista uma presa, graças a sua visão incrivelmente aguçada, mergulha em sua direção a uma velocidade vertiginosa – mais de 150 km/h! e a apanha com suas garras. Durante muito tempo, a águia-real foi acusada de raptar crianças. Isto não é verdade, é claro, mas fez com que ela fosse perseguida na Europa. Atualmente, é uma espécie protegida.

O LHAMA

Este ruminante da Cordilheira dos Andes é primo do camelo. Na realidade, existem quatro espécies de lhamas: duas espécies domésticas e duas espécies selvagens. As espécies domésticas (o lhama propriamente dito e a alpaca) provêm de uma das espécies selvagens: o guanaco. A segunda espécie selvagem é a vicunha. O lhama é utilizado principalmente como animal de carga: é capaz de transportar 50 kg durante doze horas! É ele que você pode ver nestas fotos – é fácil reconhecê-lo por causa de seu pelo comprido. A alpaca tem o pelo curto, fino e sedoso, e é criada principalmente por sua lã, muito apreciada. Em geral, cada macho vive com 20 a 30 fêmeas. As fêmeas dão à luz um único filhote após um ano de gestação. Quando um lhama cospe, não é por falta de respeito, como alguns pensam, e sim para espantar seus inimigos! Portanto, evite provocá-lo, pois não é nada agradável receber um banho de saliva de lhama. Bleargh!

O PUMA

Este belo felino é também conhecido como leão-da-montanha, onça-parda ou suçuarana. Pode medir 2 metros de comprimento, incluindo a cauda, e pesar cerca de 100 kg. Sua área de distribuição abrange as três Américas, de norte a sul. Pode ser encontrado em quase todos os habitats: bosques, florestas de coníferas, montanhas, regiões pantanosas, florestas tropicais, planícies e até desertos. É, sem dúvida, o recordista em saltos: consegue saltar 7 metros de altura sem esforço! Assim como seu primo lince, o puma ronrona (ao contrário de outros felinos como o leão, o tigre e o leopardo, que rugem). Após três meses de gestação, a fêmea se refugia numa caverna para dar à luz um a seis filhotes, dos quais se ocupa sozinha. Chega até a impedir o macho de se aproximar deles, com medo de que os devore. O puma é muito ágil e rápido – pode correr a 80 km/h. Caça animais grandes, especialmente o veado, mas também o muflão, o porco-espinho e a lebre. Às vezes ataca também o gado, fazendo com que seja temido e caçado pelo homem.

A MARMOTA

A marmota é um roedor que vive entre 1.500 e 3.000 metros de altitude. Hiberna nos meses ma frios, adormecendo no outono e despertando apenas cinco meses depois. Neste período, abr ga-se em sua toca e seu corpo funciona em câmera lenta: seu ritmo cardíaco passa de 80 par 4 batimentos por minuto, sua frequência respiratória passa de 40 para 2 inspirações por minuto e a tem peratura de seu corpo cai de 37°C para 5°C! Na primavera, a fêmea dá à luz dois a nove filhotes cego e sem pelos. Eles são desmamados por volta das cinco ou seis semanas de vida e podem viver cinco ano Os principais predadores da marmota são o lobo, a raposa, o coiote, o cachorro, o urso-pardo e o linc Ao contrário da maioria dos animais escavadores, a marmota tem uma visão excelente. Está sempre ale ta e faz sua vigilância mantendo-se em pé junto a sua toca, onde entra ao menor sinal de perigo. Porér quando é apanhada desprevenida, não se entrega facilmente, podendo enfrentar uma raposa ou cachorro

O PANDA-GIGANTE

Certamente você já viu a imagem deste belo animal preto e branco. Ele foi escolhido pelo WWF (Fundo Mundial para a Natureza) para ser o símbolo universal dos animais ameaçados. É um animal muito raro: atualmente, restam menos de mil exemplares! É encontrado apenas na China, entre 1.500 e 3.000 m de altitude, onde vive escondido nas florestas de bambus. Embora se pareça muito com um urso, o panda-gigante pertence à família do guaxinim. É quase 100% vegetariano e adora brotos de bambu, comendo 10 a 15 kg por dia. Quando se sente ameaçado por um urso-pardo ou uma pantera, refugia-se no alto de uma árvore até o perigo passar. Suas patas dianteiras possuem um sexto dedo, que facilita a tarefa de segurar os talos de bambu. É um animal solitário e só encontra seus semelhantes no período de acasalamento. Após cinco meses de gestação, a fêmea constrói um ninho de bambu no qual dá à luz um único filhote com o tamanho e o peso de um rato! Amamenta-o durante seis meses e toma conta dele até os três anos. Na idade adulta, o panda tem cerca de 1,5 m de altura e pesa mais de 150 kg!

O URSO-PARDO

ão se deixe enganar pela recordação do seu ursinho de pelúcia... O urso é um animal imprevisível e suas patas fortes possuem garras poderosas que fazem dele um animal muito perigoso. A maior parte do tempo, ele se alimenta quase exclusivamente de plantas, cogumelos e insetos. Também adora mel e não recusa um peixe de vez em quando. Quando o inverno se aproxima, o urso prepara uma toca confortável para seu longo sono de hibernação. A partir dos primeiros sinais de neve e durante todo o inverno, sua vida se desenrola em câmera lenta. Até o ritmo do seu coração e sua respiração diminuem. No entanto, isso não o impede de se manter atento aos eventuais perigos externos. É durante a hibernação que a fêmea dá à luz em sua toca um a três ursinhos que não pesam mais que uma laranja grande. A fêmea é uma mãe muito atenta e severa, que não hesita em dar uma palmada nos filhotes quando se afastam demais dela.

O FALCÃO-PEREGRINO

O falcão-peregrino é uma das aves mais rápidas do mundo: de acordo com alguns especialistas ele pode descer em voo picado a uma velocidade de 300 km/h! É uma ave de rapina e se alimenta principalmente de outras aves (tordo, estorninho, pomba), que caça durante o voo de manhã cedo e à noite. É um grande caçador, que consegue localizar uma pomba no ar a mais de 8 km de distância! Aliás, o homem utiliza esta capacidade treinando o falcão para a caça. O macho e a fêmea são quase idênticos, porém o macho é um pouco menor. O casal permanece unido durante a vida toda. A fêmea põe três a cinco ovos num buraquinho que escava numa falésia e choca durante um mês. O macho, por sua vez, vigia o território e também leva alimento para a fêmea e os filhotes, depois que nascem. Eles deixam o ninho por volta das cinco semanas de idade, mas continuam a depender dos pais durante dois meses. Se conseguirem sobreviver por um ano ao frio e ao seu principal predador, o mocho-real, podem viver 25 anos.

Regiões polares

O LEÃO-MARINHO

As patas traseiras e dianteiras do leão-marinho são maiores e mais separadas que as de sua prima foca. Além disso, o leão-marinho pode se apoiar nas patas dianteiras, o que o torna bem mais ágil quando se desloca em terra firme. Aliás, ele é tão ágil que pode ser visto com frequência em parques de diversões, onde realiza números de equilibrismo e malabarismo soltando seu famoso grito "Honc! Honc!", que faz lembrar um latido alegre. Assim como a foca, o leão-marinho é um excelente nadador. É muito veloz e caça peixes e lulas na corrida. Você pode distinguir facilmente o leão-marinho da foca não só pela agilidade, mas também porque o leão-marinho apresenta pequenas orelhas bem visíveis. Durante o período de reprodução, o macho defende ferozmente seu território na praia. É ali que acolherá o seu harém, que pode incluir até 30 fêmeas. É a fêmea quem escolhe o seu macho. O acasalamento acontece dentro da água e, após cerca de dez meses de gestação, a fêmea dá à luz um único filhote, em terra, que amamenta durante dois anos. A mãe e o filho se reconhecem pela voz e pelo cheiro. É por isso que, embora a tentação seja grande, nunca devemos acariciar os filhotes de leão-marinho. Um simples contato com uma mão humana faria com que o filhote fosse rejeitado pela mãe, condenando-o à morte. Existem várias espécies de leão-marinho: o leão-marinho-da-antártida, o leão-marinho-da-califórnia, e ainda os grandes leões-marinhos-de-steller, que aparecem abaixo nestas duas páginas.

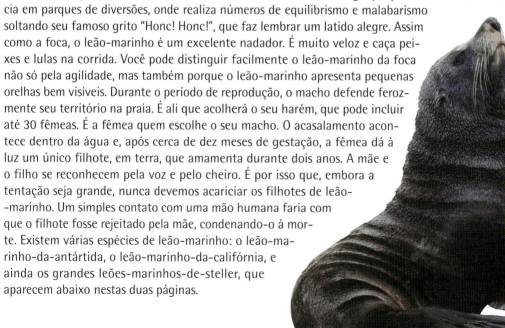

A MORSA

A morsa é um mamífero marinho do Oceano Ártico que tem uma aparência muito impressionante. Parece uma enorme foca com uma pele bem enrugada. Possui duas grandes presas de marfim (caninos superiores) que podem atingir um metro de comprimento no macho. Ela utiliz[a] suas presas como picaretas para procurar moluscos e caranguejos na areia do fundo do mar, antes de [os] engolir inteiros (são triturados no seu estômago). As presas transformam-se em armas na época do aca[sa]salamento, quando os machos brigam pelas fêmeas. A morsa se locomove lentamente em terra e pass[a] bastante tempo cochilando nas praias pedregosas. Porém, quando está dentro da água, torna-se um[a] nadadora sem igual. Seus principais predadores são o urso-polar, a orca e os esquimós. Estes últimos co[mem] a carne da morsa, e ainda utilizam sua pele para construir canoas e seus ossos e presas para fabricar armas, utensílios e objetos decorativos.

A RAPOSA-DO-ÁRTICO

Esta raposa tem o pelo branco no inverno e marrom no verão. Naturalmente, sua pele magnífica é muito cobiçada pelos caçadores! A raposa-do-ártico usa sua cauda grossa e comprida como um lenço, quando está muito frio, ou como coberta para dormir. Possui um faro extremamente aguçado, pode correr bem depressa e nada muito bem. No início do inverno ártico, por volta de abril-maio, os casais se juntam e preparam uma toca para acolher os futuros bebês. Essas tocas são utilizadas de geração em geração e chegam a atingir 300 anos. De todos os canídeos, é a raposa-do-ártico quem detém o recorde da ninhada mais numerosa: tem em média 11 filhotes, mas este número pode chegar a 22! O macho caça e leva alimento (pequenos roedores, aves, frutas e carniça) para a toca, enquanto a fêmea toma conta dos filhotes. O casal permanece unido durante cerca de 4 meses, até os filhotes saírem da toca. Além do homem, os principais inimigos da raposa-do-ártico são o lobo, o lince e o urso-polar.

O URSO-POLAR

O urso-polar é o maior carnívoro terrestre, chegando a medir mais de 3,5 m de comprimento e pesar 600 kg. Vive sozinho na região ártica (Polo Norte). Dotado de olfato, visão e audição muito desenvolvidos, e com uma pelagem cuja cor branca se confunde perfeitamente com a neve, este urso é um caçador muito temido. Mata suas presas com golpes de suas patas incrivelmente fortes e, quando termina sua refeição, enterra cuidadosamente os restos na neve para apagar todos os vestígios de sua passagem! Desloca-se seguindo as migrações de sua presa favorita: a foca. Às vezes chega a passar o verão inteiro num *iceberg* à deriva, se ele estiver ocupado por muitas focas. É um excelente nadador, percorrendo facilmente distâncias de 10 km a nado. O urso-polar não hiberna de verdade. O macho costuma caçar durante todo o inverno. Por sua vez, a fêmea se protege do vento e do frio numa fenda no gelo, onde dá à luz um ou dois ursinhos que medem apenas 25 cm e pesam menos de 1 kg. Com exceção do homem, que o caça principalmente por causa de sua magnífica pele, o urso-polar não tem inimigos.

A FOCA

 A foca é um mamífero marinho muito desconfiado. Assim como os outros mamíferos, tem o sangue quente e amamenta seus filhotes. Parece desajeitada em terra firme, mas quando está dentro da água é uma excelente nadadora. Adora espreitar para fora da água (como na foto redonda da página ao lado). Imagine que ela consegue ficar debaixo da água durante meia hora sem respirar, e mergulhar a mais de 100 metros de profundidade para pescar os peixes e as lulas de que se alimenta. A espessa camada de gordura que possui sob a pele permite-lhe resistir ao frio intenso das águas árticas. As focas agrupam-se em grandes colônias nos litorais. Essas colônias podem ter várias centenas, ou até mesmo milhares de indivíduos. No período de acasalamento, os machos tentam despertar o interesse das fêmeas dando inúmeras piruetas. A foca é polígama, isto é, um único macho acasala com várias fêmeas. O acasalamento acontece dentro da água. O filhote de foca é uma grande bola de pelo, como você pode ver na foto acima. Se não for abatido por caçadores por causa de sua linda pele, pode viver cerca de 20 anos. Para se comunicar, a foca emite grunhidos e guinchos agudos de todos os tipos. Seus predadores são a orca, o tubarão, o urso-polar e o homem – os esquimós adoram sua carne. Existem várias espécies de focas. Nestas fotos você pode ver, por exemplo, a foca-cinzenta comum, abaixo, e a foca-da-groenlândia com seu filhote, na página à direita, embaixo. O elefante-marinho, que aparece no alto da página à direita, tem o nariz em forma de tromba e é a maior de todas as focas: o macho pode atingir 6 metros de comprimento e pesar mais de 3 toneladas.

O PINGUIM

O pinguim vive em colônias com vários milhares de indivíduos. É comum vermos os pinguins comprimidos uns contra os outros para suportarem melhor o frio extremo que pode reinar na Antártida, de até -50°C! A plumagem impermeável do pinguim e a grossa camada de gordura que possui sob a pele também são muito eficazes para proteger do frio. O pinguim é uma ave engraçada – parece estar vestindo um paletó! Ao contrário da maioria das aves, ele não consegue voar, mas é um excelente nadador. Debaixo da água, utiliza suas asas cobertas de escamas como nadadeiras e suas patinhas como leme. Pode mergulhar a mais de 45 metros de profundidade para apanhar os peixes, lulas e camarões de que se alimenta. O pinguim-imperador é facilmente reconhecido por suas manchas amarelas na cabeça, pescoço e bico. Com 1,20 m de altura, é o maior de todos os pinguins. É um pai muito dedicado, pois é ele quem choca o ovo durante dois meses. Alguns dias após a eclosão, os filhotes são reunidos e vigiados por um grupo de adultos, como se fosse uma creche. O pequeno pinguim-de-adélia mede 45 cm. Nesta espécie, tanto o macho como a fêmea partilham a tarefa de chocar o ovo, antes de colocarem o filhote na creche.

83

A ORCA

A orca não é um peixe, e sim um mamífero, primo da baleia e do golfinho. Aliás, é o mamífero marinho mais veloz, capaz de atingir uma velocidade de até 60 km/h. A orca chega a medir dez metros de comprimento. Vive geralmente num grupo familiar, às vezes numa comunidade constituída por várias famílias. É um predador muito feroz, que certamente mereceu o apelido de "baleia-assassina" que lhe atribuem com frequência. Caça todos os tipos de presas: peixes, focas, morsas, lulas, pinguins... Devora-os inteiros, sem mastigar! Ataca até filhotes de golfinhos e baleias. Não é difícil ver uma orca exibir suas dez toneladas de músculo e gordura sobre os bancos de gelo para tentar apanhar seus ocupantes (focas e pinguins). Quando nasce, o filhote de orca já pesa 200 kg e pode medir até 2,50 m de comprimento. Este único filhote é amamentado pela mãe e permanece junto a ela durante vários anos. As orcas se comunicam entre si emitindo sons muito agudos (ultrassons) que formam uma espécie de canto.

Mares e oceanos

A BALEIA

A ssim como todos os mamíferos, a baleia amamenta seus filhotes e respira ar através dos pulmões. Faz isso na superfície graças aos orifícios que possui no alto da cabeça. A baleia-azul é o maior animal do planeta. Quando nasce, o filhote já pesa 2 toneladas e mede 7 metros. Na idade adulta, atinge 33 metros de comprimento e 150 toneladas – o equivalente a 25 elefantes! Apesar de seu peso, a baleia é uma excelente nadadora, podendo atingir uma velocidade de 50 km/h e até saltar fora da água (como está fazendo a baleia jubarte desta maravilhosa foto). Consegue permanecer debaixo da água durante cerca de duas horas e mergulhar a até 500 m de profundidade. Alimenta-se de minúsculos camarões (o *krill*) filtrando enormes quantidades de água através das barbatanas que possui em seu maxilar superior. A pesca predatória quase exterminou as baleias. Hoje em dia esta pesca é proibida, mas infelizmente ainda é praticada em alguns países. Além do homem, o único inimigo da baleia é a orca, que ataca seus filhotes.

A BARRACUDA

A barracuda é um peixe assustador que pode atingir 2,5 m de comprimento. Seu corpo esbelto e prateado foi realmente concebido para a corrida! É um predador extremamente voraz que caça abertamente, sozinho ou em cardume. Assim que enxerga um cardume de peixes, atira-se e abocanha tudo o que estiver ao alcance de seus dentes afiados. É capaz também de causar acidentes muito graves ao homem. Vive geralmente em alto-mar, mas não hesita em se aproximar das praias. Já houve casos de banhistas mordidos em águas com apenas 30 cm de profundidade! A barracuda é pescada pelo homem, mas é preciso ter muito cuidado. Consumi-la nas regiões tropicais pode ser arriscado, pois sua carne pode conter um veneno fabricado por uma alga microscópica que vive nos recifes de coral. Se for ingerido pelo homem, pode fazê-lo contrair uma doença chamada "ciguatera".

O CORAL

O coral pode ser solitário ou viver em colônias formadas por centenas ou milhares de indivíduos agarrados uns aos outros. Cada indivíduo de uma colônia é chamado de "pólipo" e parece uma anêmona-do-mar em miniatura. Possui uma coroa de tentáculos com os quais captura os minúsculos crustáceos de que se alimenta. O pólipo fabrica um esqueleto calcário que o protege. O esqueleto da colônia pode ter formas muito variadas, como galho, prato ou bola. O coral pode ser encontrado em todos os mares, mas só forma recifes nas regiões mais quentes. É o acúmulo dos esqueletos de corais que leva à formação do recife. Os recifes se formam muito lentamente – um recife com 40 metros de altura pode ter 2 mil anos. Apesar disso, os recifes podem ser enormes. O maior deles, a Grande Barreira de Coral, na Austrália, tem 2.400 km de comprimento! Os recifes de coral constituem uma riqueza incrível, pois atraem uma multidão de seres vivos que se abrigam e reproduzem no recife e se alimentam dele.

O GOLFINHO

A inteligência do golfinho é muitas vezes comparada à do chimpanzé. Ele emite sons (assobios ou estalidos) quase o tempo todo, para se comunicar com seus semelhantes e permitir a "ecolocalização". Na verdade, quando seus sons encontram um obstáculo, ricocheteiam e produzem um eco que permite ao golfinho orientar-se e evitar os obstáculos, e também localizar suas presas (lulas, camarões, peixes). Seu principal inimigo é sua própria prima, a orca. O golfinho consegue permanecer debaixo da água por três a quatro minutos. Quando dorme, flutua a 50 cm de profundidade, subindo à superfície a cada 30 segundos para respirar, sem acordar. É um animal sociável que vive em grupos com várias dezenas ou centenas de indivíduos, sem qualquer líder. Não é raro ver um golfinho socorrer outro golfinho ferido ou doente, e até um ser humano!

A ESTRELA-DO-MAR

A estrela-do-mar é parente do ouriço-do-mar. Pode ser encontrada em todos os mares do mundo. Mede entre 5 cm e 1 m de diâmetro e, como você pode ver nestas fotos, suas formas e cores são muito variadas. Geralmente tem cinco braços, mas algumas estrelas chegam a ter 50! Se um deles for cortado, pode voltar a crescer sem problemas. Cada braço possui centenas de pés minúsculos, geralmente munidos de ventosas, que permitem à estrela se locomover. Algumas estrelas-do-mar alimentam-se de mexilhões, outras de corais, outras ainda de esponjas, e às vezes até de outras estrelas! Elas têm um método muito original de se alimentar: fazem o estômago sair pela boca e digerem a presa fora do corpo! A estrela tem poucos inimigos. Na verdade, sua pele contém substâncias que lhe dão um gosto de sabão nada agradável, e algumas estrelas são até cobertas de espinhos venenosos.

O CAVALO-MARINHO

O cavalo-marinho ou hipocampo é incapaz de morder, por isso precisa aspirar os pequenos crustáceos e os peixes minúsculos de que se alimenta. Cada um de seus olhos pode se mexer de forma independente, o que lhe permite perceber suas presas em várias direções sem precisar mover o corpo. É o único peixe que nada com o corpo na vertical. Locomove-se apenas com a ajuda de suas pequenas nadadeiras situadas em seu dorso. Elas ondulam bem depressa, mas não são muito eficientes. Portanto, o cavalo-marinho não é um bom nadador, sendo facilmente arrastado pelas correntes mais fracas. É por isso que muitas vezes se agarra às plantas ou algas marinhas, enrolando sua cauda em volta delas. Os casais são formados durante o período de reprodução. O macho e a fêmea enlaçam as caudas e a fêmea introduz seus 200 ovos numa bolsa situada no ventre do macho. Portanto, no caso do cavalo-marinho, é o pai quem "dá à luz"!

O PEIXE-BOI

O peixe-boi ou manati é um mamífero aquático vegetariano. Pode pesar mais de 600 kg e med[e] 5 metros de comprimento. É encontrado principalmente nos rios e estuários das costas atlân[ticas] da África e da América Latina. Vive em grupos pequenos com uma dúzia de indivíduos [e] passa a maior parte do tempo no fundo do mar, mascando plantas e raízes, sendo por isso também ch[a]mado de "vaca-marinha". O peixe-boi tem a pele nua como a dos cetáceos e se parece um pouco co[m] uma gigantesca foca. Acredita-se que o peixe-boi e seu primo do Oceano Índico, o dugongo, tenha[m] dado origem à lenda das sereias, por isso estes mamíferos são chamados de sirênios. São animais mui[to] pacíficos, que nunca brigam, e os casais permanecem unidos a vida toda. A cada três ou cinco anos, [a] fêmea dá à luz um filhote que fica com ela por cerca de dois anos.

A MEDUSA

As medusas são parentes dos corais e das anêmonas-do-mar, mas não são fixas e deslocam-se ao sabor das correntes marítimas. Num determinado estágio de sua vida, algumas medusas chegam a se transformar em indivíduos que se fixam (chamados de pólipos) e voltam a se transformar em medusas depois. Existem vários tipos de medusas, de formas e cores muito variadas, mas de forma geral a medusa é composta por uma estrutura em forma de disco ou guarda-chuva no meio da qual se abre a boca, por tentáculos e por muita água! É por isso que, quando uma medusa vai parar na praia, "derrete" em poucas horas. A medusa-gigante tem mais de mil tentáculos muito finos que medem até 40 metros de comprimento! Eles são venenosos e constituem uma gigantesca armadilha mortal onde caem camarões e pequenos peixes. Porém, as maiores medusas não são necessariamente as mais perigosas. As mais tóxicas vivem nas regiões quentes e sua picada pode matar até um homem!

A RAIA

A raia é um peixe cujo esqueleto não é formado por ossos, e sim por cartilagens. É parente do t[ubarão]. A ondulação de suas nadadeiras (que chamamos de "asas") faz com que nade graciosamente. Alimenta-se geralmente de moluscos, crustáceos e pequenos peixes, que apanha rem[e]xendo a areia. Entretanto, algumas se alimentam de minúsculos camarões (o zooplâncton) filtran[do] grandes quantidades de água, mais ou menos como faz a baleia. É o caso da jamanta, também chama[da] de "diabo-do-mar", que você pode ver na foto menor. É a maior de todas as raias, podendo atingir 8 m[e]tros de envergadura! A cauda afiada da raia-elétrica apresenta um ou dois ferrões venenosos, com [os] quais pode causar choques elétricos. São verdadeiras pilhas naturais, capazes de produzir uma desca[rga] elétrica de 12 a 200 volts para atordoar ou matar suas presas ou inimigos.

A TARTARUGA MARINHA

Muitas tartarugas vivem dentro da água, onde sua carapaça é menos incômoda, pois é bem mais pesada em terra do que dentro da água! Portanto, é natural que encontremos a maior tartaruga do mundo entre as tartarugas marinhas. Com seus 800 kg e 2,50 m de comprimento, este título pertence à tartaruga-de-couro. Ela vive em alto-mar, onde se alimenta de algas e peixes. Entretanto, assim como todas as tartarugas marinhas, ela também precisa vir à terra para pôr seus ovos. Você certamente já deve ter visto algum documentário na televisão mostrando uma grande tartaruga-verde (a da foto) arrastando com dificuldade os seus 200 kg até a praia, para ali cavar um buraco e pôr seus ovos. Após a eclosão, os filhotes de tartaruga saem da areia e se dirigem sozinhos para o mar. Se conseguirem chegar até lá, poderão viver até os 120 anos. Algumas tartarugas, como a tartaruga-verde, ainda são caçadas pelo homem para preparar a tradicional sopa de tartaruga.

O TUBARÃO

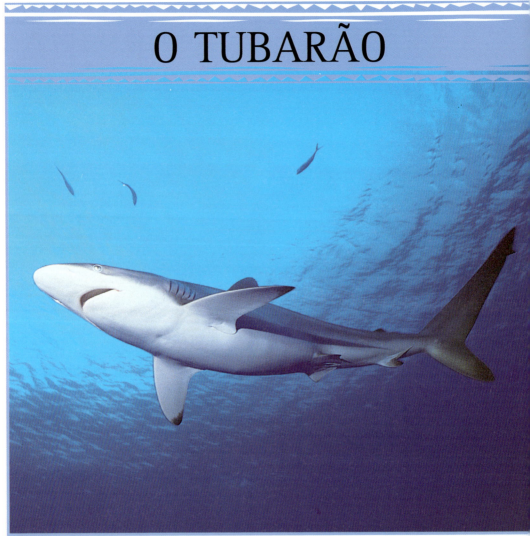

O tubarão é um peixe cartilaginoso como a raia: seu esqueleto é feito de cartilagem. Existem muitos tubarões diferentes. O menor mede 70 cm de comprimento (galhudo-malhado), e os maiores medem mais de 15 metros (tubarão-baleia e tubarão-peregrino). Felizmente, estes tubarões enormes são inofensivos, pois comem apenas minúsculos camarões. Por outro lado, outros tubarões como o tubarão-tigre e o tubarão-leopardo, são extremamente temidos pelos peixes e pelos banhistas. O famoso tubarão-branco mede até 12 m de comprimento e pode pesar 3 toneladas. É um dos tubarões mais perigosos. Aliás, é classificado como "devorador de homens", o que é bastante esclarecedor sobre o que ele é capaz de fazer! Possui uma mandíbula formidável, com centenas de dentes afiados como lâminas. Como em todos os tubarões, seus dentes são organizados em várias fileiras e caem regularmente, sendo substituídos durante toda a sua vida.

O BAIACU-DE-ESPINHO

Este peixe dos mares tropicais pode ultrapassar os 50 cm de comprimento. É coberto de espinhos normalmente virados para a parte traseira do seu corpo. À mais leve ameaça, ele incha introduzindo água ou ar dentro de seu estômago. Neste momento, pode duplicar ou mesmo triplicar d volume e assumir a forma de uma grande bola redonda cheia de espinhos! Evidentemente, é impossíve agarrá-lo nestas ocasiões, e desta maneira é que intimida seus inimigos. Em alguns lugares, as pessoa secam o baiacu assim, inchado, para fabricar objetos decorativos, lanternas ou abajures! Alimenta-se d moluscos, corais, ouriços-do-mar e crustáceos, cujo esqueleto tritura sem dificuldade graças a seu "bicc potente e afiado. Este bico é formado por seus dois únicos dentes (um em cada maxilar), que lhe deran seu nome latino: *Diodon*, que significa "peixe com dois dentes".

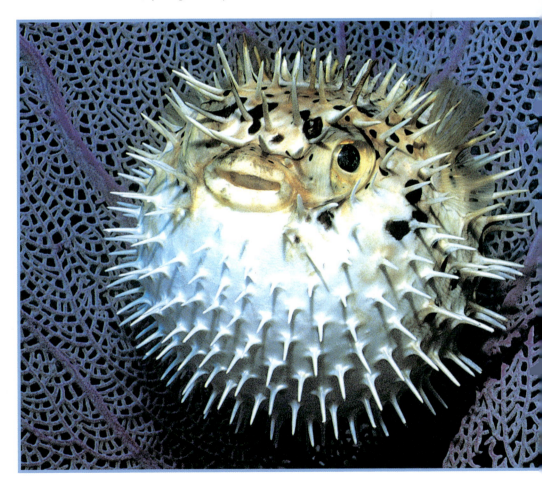

O PEIXE-PALHAÇO

O peixe-palhaço é um pequeno peixe com 6 a 15 cm que faz parte da paisagem dos recifes de coral. Ele vive em constante parceria com uma grande anêmona-do-mar. Ao menor sinal de perigo, refugia-se imediatamente entre os tentáculos da anêmona. Na verdade, o contato com os tentáculos urticantes da anêmona é muito doloroso, chegando a ser até mortal para os animais, menos para o peixe-palhaço! Desta forma, a anêmona oferece um abrigo muito eficaz. Em troca, a anêmona aproveita os restos de sua refeição. O casal de peixes-palhaços permanece unido durante toda a vida e defende ferozmente seu território. Depois que o casal encontra a "sua" anêmona, é raro afastar-se dela. Na época de reprodução, o macho limpa uma área sobre uma rocha próxima da anêmona. É ali que a fêmea põe seus 300 a 700 ovos, que são vigiados pelo macho até eclodirem.

Rios e lagos

A SUCURI

A sucuri pertence ao mesmo grupo de cobras que a jiboia e a píton. É uma das maiores cobras d[o] mundo! Atinge 9 metros de comprimento – de acordo com algumas pessoas, pode atingir 11 me[-]tros – e chega a pesar mais de 100 kg! É chamada de "espírito da floresta" pelos índios da Amazôni[a,] sendo respeitada e temida por eles. A sucuri vive na América do Sul, sempre nas proximidades de um cu[r-]so de água. Nada muito bem (quatro vezes mais rápido que um campeão de natação) e passa bastante ten[-]po dentro da água. Costuma ficar enrolada em volta de um galho de árvore, semissubmersa, e mergulha [se] for incomodada ou vir passar uma presa, como um roedor, ave, tartaruga ou filhote de jacaré. Mata su[as] presas por asfixia e pode engolir o equivalente a seu próprio peso numa única refeição! Quando adulta, nã[o] teme qualquer predador, nem mesmo o feroz jacaré. A fêmea dá à luz cerca de trinta cobras já formada[s,] com 60 cm de comprimento, que crescem um metro por ano até sua maturidade sexual, atingida por vo[l-]ta dos quatro anos.

O CASTOR

castor é um dos maiores roedores do mundo, podendo atingir mais de um metro de comprimento (com a cauda) e pesar 30 kg. Seus dentes são fortes e lhe permitem "brincar" de lenhador. Leva apenas cinco minutos para cortar uma árvore com 10 cm de diâmetro. Utiliza os troncos para fabricar ou reforçar sua represa, que pode ter até 300 metros de comprimento e 3 metros de espessura! Essa represa serve para manter a água a um nível suficientemente alto no local onde o castor fabrica sua casa. Ela é feita de galhos dispostos em forma de cabana e sua entrada fica debaixo da água. O castor é vegetariano e seu prato favorito é a casca das árvores.

O casal de castores se mantém unido durante toda a vida. A fêmea dá à luz dois a cinco filhotes após três meses de gestação. Eles ficam com os pais até os dois ou três anos. Atualmente, o castor é uma espécie protegida, mas foi caçado durante muito tempo por causa de sua pele, muito apreciada.

105

O SAPO

O sapo é um anfíbio. Sua pele costuma ser áspera e ele tem verrugas atrás dos olhos e em outras partes do corpo. Essas verrugas indicam os lugares onde estão suas glândulas de veneno. Mas não se preocupe, você pode tocar nele e colocá-lo em sua mão sem receio, pois o sapo não é perigoso para o homem, com exceção de algumas espécies tropicais. Ao contrário de sua prima rã, o sapo costuma viver longe da água. Porém, sua reprodução acontece dentro da água, por isso muitas vezes o sapo precisa fazer uma verdadeira migração para se reproduzir – às vezes de vários quilômetros! O macho chama a fêmea através de um coaxar sonoro. Quando ela se aproxima, ele a coloca em suas costas. Algum tempo depois, ela põe 5 mil a 20 mil ovos, que o macho fecunda dentro da água. Estes ovos estão ligados entre si por uma espécie de gelatina e formam uma fita bem comprida, que pode atingir metros de comprimento. Um mês depois saem deles os girinos. Dentro de três a quatro meses, os girinos se transformam em sapinhos e vão para terra firme. Assim como a rã, o sapo possui uma língua comprida que estica quando quer apanhar um inseto em movimento – ele só enxerga aquilo que está em movimento. O sapo também come vermes e lesmas.

O CISNE

O cisne é uma ave aquática, muito conhecida por sua beleza e pela graciosidade de seu voo. Não admira que seja representado há séculos em inúmeros contos, balés e pinturas. O cisne representado nestas fotografias chama-se "cisne-branco" ou "cisne-mudo". Sua maravilhosa plumagem branca é constituída por cerca de 25 mil penas! Porém, nem todos os cisnes são domesticados. Muitos deles são migradores e mudam de região de acordo com a estação. E nem todos são brancos – alguns cisnes da Austrália são completamente negros! O cisne vive nos lagos e se alimenta de plantas aquáticas, rãs e pequenos peixes. É uma ave impressionante: pode pesar 20 kg e sua envergadura (distância entre as pontas de suas duas asas quando estão abertas) ultrapassa 2 metros. O acasalamento acontece na primavera. Você pode reconhecer o macho pela saliência que possui na base do bico. A fêmea constrói o ninho à beira da água e põe nele cinco a oito ovos. Os filhotes do cisne são cinzentos.

O CROCODILO

O crocodilo é o mais pesado dos répteis atuais, podendo atingir 2 toneladas! É primo do aligátor e do jacaré, mas é fácil distingui-lo, pois seus dois grandes dentes da frente ficam visíveis com a boca fechada, e sua boca é mais alongada. Além disso, vive em outras regiões: é encontrado na Ásia, na África e na Austrália. Seu tamanho varia de 1,50 m no crocodilo-anão a 10 m no crocodilo--marinho. É um predador muito feroz, que ataca sem hesitar as zebras e antílopes que estão matando a sede. Alimenta-se também de peixes e aves. Gosta de dormir ao sol e de ser acariciado por pequenas aves que retiram os parasitas grudados em sua pele. Estas aves chegam a limpar até suas gengivas! Todos os anos, a fêmea põe cerca de trinta ovos num buraco na praia, cobre de areia e fica vigiando perto do ninho. Quando estão prestes a nascer, os filhotes gritam e a mãe escava a areia para ajudá-los a sair do ninho. É quase certo que cada um deles viverá pelo menos 70 anos.

A RÃ

omo você pode ver nestas fotos, existem rãs de cores e tamanhos muito variados. A rã é um anfíbio, isto é, pode viver tanto em terra como na água. Suas patas traseiras são espalmadas, o que lhe permite nadar mais depressa, mais ou menos como quando você usa as palmas das mãos. Consegue se locomover também em terra, caminhando ou dando grandes saltos. Algumas rãs, como as das duas fotos abaixo, são arborícolas e sobem em árvores. São chamadas de pererecas. Quando a estação quente se aproxima, o macho atrai a fêmea coaxando seu célebre "Croac! Croac!" que embala nossas noites de primavera. O acasalamento acontece dentro da água. A fêmea põe vários ovos que o macho fecunda imediatamente. Alguns dias depois, eclodem os girinos. Aos poucos, eles se transformam em rãs (a metamorfose): surgem as patas e a cauda desaparece. Por volta dos três meses, os pulmões se formam e a rã já pode sair da água. Alimenta-se principalmente de insetos, que captura com sua língua comprida e viscosa, lançada com precisão.

A LIBÉLULA

A libélula é um dos insetos voadores mais antigos do mundo. Uma libélula que viveu há vários milhões de anos tinha o mesmo tamanho que uma gaivota! Atualmente, o tamanho de uma libélula não ultrapassa os 10 cm. Seu voo é silencioso e rápido, atingindo a velocidade máxima de 80 km/h. É capaz de mudar bruscamente de direção em ângulo reto, de pairar no mesmo lugar e até de voar para trás. Vive nas proximidades dos rios e pântanos. Aliás, é na água destes rios e pântanos que começa sua vida. Após um voo nupcial durante o qual acontece o acasalamento, a fêmea põe seus ovos sobre as plantas aquáticas. De cada ovo sai uma larva que vive dentro da água durante um a cinco anos. A larva da libélula é um predador muito ativo, que caça larvas de mosquitos e girinos. Ao longo de sua vida aquática, a larva se transforma nove vezes. Na última metamorfose, ela se agarra a uma planta e se transforma numa libélula voadora adulta. A libélula adulta vive apenas algumas semanas, mas, assim como a larva, é um feroz predador que se alimenta de moscas e borboletas.

A LONTRA

A lontra pode ser encontrada tanto nas proximidades da água doce (rios e lagos) como da água salgada (mares e oceanos). O corpo deste pequeno mamífero está bem-adaptado para a natação. Suas patas curtas são espalmadas e sua cauda comprida serve como leme. Além disso, a lontra é capaz de ficar oito minutos debaixo da água sem respirar! É uma caçadora muito eficiente. Alimenta-se principalmente de peixes, mas também de rãs, aves e moluscos. Seus grandes bigodes são muito sensíveis e permitem sentir os movimentos de suas presas na escuridão ou em águas turvas. Sua toca é escavada na margem e tem duas aberturas: uma dá acesso direto à água, a outra desemboca em terra firme. É aí que, após nove semanas de gestação, a fêmea dá à luz dois a cinco filhotes. Para se comunicar, a lontra assobia. É inteligente, sociável e brincalhona, o que faz com que seja muito fácil de domesticar, pelo menos quando é jovem.

O GUAXINIM

O guaxinim tem uma aparência bastante característica. Entre outras particularidades, tem listras pretas e brancas na cauda, suas patinhas dianteiras são como pequenas mãos muito ágeis, e possui uma máscara de Zorro sobre os olhos! É um animal inteligente, dócil e sociável. Deixa-se domesticar muito facilmente quando é jovem e, o que é muito raro entre os animais, pode voltar sem problemas à vida selvagem depois de ter vivido com o homem. O guaxinim é um excelente caçador. Durante a noite, procura seu alimento (milho, rãs, peixes, aves, frutas) perto da água. Você sabia que o guaxinim, antes de comer seja o que for, sempre lava os alimentos? O macho é polígamo (fecunda várias fêmeas) e a fêmea é monógama (é fecundada por um único macho). O casal permanece unido apenas durante a reprodução. Dois meses após o acasalamento, a fêmea dá à luz três a cinco filhotes e toma conta deles sozinha. Os predadores do guaxinim são o puma, o lince, o coiote, e também o homem, que o caça por causa de sua pele.

A SALAMANDRA

A salamandra é um anfíbio, como seus primos rã e sapo. Ela se parece um pouco com os lagartos, que são répteis, mas pode ser facilmente distinguida pela ausência de escamas e garras e pela pele sempre úmida. Seja ela terrestre ou aquática, a salamandra precisa sempre de umidade para viver. Aliás, a fêmea sempre põe seus ovos dentro da água e as larvas são aquáticas. Tanto as larvas como os adultos são carnívoros. A larva alimenta-se de girinos e pequenos invertebrados aquáticos, e o adulto caça minhocas, lesmas, aranhas e insetos. A salamandra consegue fazer cair sua própria cauda, o que às vezes lhe permite surpreender seus predadores e escapar. Depois volta a nascer uma nova cauda, mas nunca tão comprida como a anterior. Geralmente, a salamandra mede entre 5 e 20 cm de comprimento. Entretanto, algumas espécies atingem 50 cm e, por incrível que pareça, a salamandra-gigante-da-china pode atingir mais de 1,50 m de comprimento e viver mais de 50 anos!

115

O MARTIM-PESCADOR

Todo colorido e redondinho, o martim-pescador é um pássaro realmente encantador. Seu tamanho varia entre 16 e 35 cm. Sua grande cabeça e seu bico comprido e robusto em forma de punhal conferem a ele sua silhueta característica. O martim-pescador apanha suas presas com um método muito elaborado! Empoleirado num galho perto da água, ele fica observando atentamente com sua visão aguçada e espera passar um peixe ou uma rã. Então mergulha na água como um meteoro, apanha sua presa com o bico e leva embora. Quando volta ao seu poleiro, ataca a presa batendo com ela no galho e depois a engole inteira. Vive sozinho, exceto durante o período de reprodução, em que os casais se formam momentaneamente. Nesta ocasião, eles escavam um ninho numa margem e a fêmea põe nele cinco a sete ovos que o macho e a fêmea chocam durante três semanas. Os principais predadores do martim-pescador são o rato-d'água, a doninha e a raposa.

A CEGONHA

A cegonha tem um longo bico vermelho e reto. Seu andar e seu voo são muito graciosos. A cegonha típica representada nestas fotos possui grandes asas brancas com bordas pretas, mede cerca de 1,10 m e vive nos campos e estepes. Existe também uma cegonha preta. É menos comum e um pouco menor que a branca, e vive mais em florestas. A cegonha alimenta-se de pequenos roedores, anfíbios, répteis, peixes e insetos. Durante o inverno, migra para o clima quente da África. Por volta do mês de março, regressa à Europa para nidificação, quando pode ser encontrada em vários países como Holanda, Bélgica, Hungria, Polônia e Portugal. Faz seu ninho nas árvores, mas também no alto das chaminés das casas! Seu ninho é enorme: tem 1,50 m de diâmetro e é feito de galhos, terra, grama e palha. A fêmea põe três a cinco ovos, que são chocados durante 45 dias pelos dois progenitores.

117

O LÚCIO

O lúcio tem uma cabeça grande e comprida, munida de dentes afiados, e um corpo alongado que pode medir até 1,5 m. Suas características fizeram com que, em alguns lugares, ganhasse o apelido de "tubarão de água doce". Obviamente, ele não é um tubarão, mas é um predador igualmente voraz e temido. O lúcio é solitário e caça suas presas sozinho. Permanece imóvel, escondido entre as plantas aquáticas. Quando um cardume de peixinhos tem a infeliz ideia de passar perto, ele se atira sobre eles com um golpe de cauda, agarra sua presa e a engole, começando pela cabeça. O lúcio pode ser encontrado em águas profundas cuja correnteza é suficientemente lenta, em lagos e pântanos não muito frios e nas margens cobertas de vegetação. A fêmea põe entre 30 mil e 60 mil ovos no meio da vegetação aquática, numa área pouco profunda. Os alevinos crescem muito rápido e podem viver cerca de vinte anos.

118

A TRUTA

A truta mede entre 40 e 80 cm de comprimento. Os exemplares mais velhos podem chegar a atingir um metro e pesar 10 kg! A truta-salmoneja que você vê nesta foto é muito comum na Europa. Seu corpo é repleto de manchas pretas e vermelhas que servem como camuflagem, enquanto avança entre as pedras e as sombras do rio. Vive nas águas frias e aprecia principalmente os rios das montanhas. Alimenta-se de larvas, insetos que apanha na superfície da água, moluscos e pequenos peixes. O período de reprodução da truta-salmoneja estende-se de outubro a janeiro. Nesta época, ela sobe os rios, como seu primo salmão, para pôr os ovos em lugares específicos que são chamados de "desovadouros". Quando chega ao seu destino, a fêmea escava um verdadeiro ninho nos areais, com a ajuda da cauda, e põe ali os ovos que o macho se apressa em fecundar. Após a eclosão, os alevinos descem o rio, mas voltarão a subi-lo quando atingirem a maturidade sexual, entre os dois e os quatro anos. A truta é muito apreciada pelos pescadores. Eles a pescam usando uma "falsa mosca" que fabricam enrolando pelos ou penas em volta do anzol, para imitar um inseto pousado sobre a água!

Planícies e pradarias

O CÃO-DA-PRADARIA

O cão-da-pradaria não é um cão, e sim um pequeno roedor com cerca de 30 cm que pertence à mesma família do esquilo e da marmota. Vive entre o Canadá e o México, mas tem um primo na Europa Central que é muito parecido com ele: o espermófilo. O cão-da-pradaria tem este nome por causa de seu grito, que parece o latido de um cão. Quando os cães-da-pradaria se alimentam em grupo, um deles sempre fica em pé sobre as patas traseiras, atento a predadores como a raposa, o coiote, a águia-real e as cobras. Ao menor sinal de perigo, ele dá o alarme e salta para dentro de sua toca. Essa toca é constituída por vários compartimentos interligados por um túnel com 3 a 5 metros de comprimento. Há inúmeras tocas lado a lado, formando uma verdadeira cidade subterrânea que abriga centenas ou milhares de indivíduos. No início do século 20, algumas destas "cidades" continham até 40 milhões de indivíduos! Atualmente, o cão-da-pradaria está em vias de extinção.

O EMU

O emu detém o segundo lugar na lista das maiores aves, logo depois de seu primo avestruz. Mede cerca de 2 metros de altura. Suas asas são muito pequenas e ele é incapaz de voar. Por outro lado, é um excelente corredor. Vive nas planícies arborizadas, campos, savanas e florestas de eucaliptos da Austrália. Desloca-se em pequenos grupos em busca de alimento e água. O casal é formado na época do acasalamento e o macho vigia sua fêmea de forma ciumenta. A fêmea põe oito a quinze ovos num ninho de folhas e capim que o macho constrói na altura do chão. Também é o pai quem choca os ovos durante cerca de dois meses e, em seguida, toma conta dos filhotes até atingirem 20 meses. Ele toma muito cuidado, principalmente, com a águia, o inimigo natural mais perigoso dos pequenos emus. Os filhotes se alimentam de insetos. Quando adultos, alimentam-se também de frutas e sementes. Seu grito é bastante curioso, parece um eco.

O COIOTE

O coiote possui uma má reputação que não tem fundamento. Na verdade, ele não é perigoso nem para o homem, nem para o gado. Pelo contrário, alimenta-se principalmente de carniça e de pequenos roedores que se reproduzem rapidamente, por isso o coiote é até útil! Assim como seu primo lobo, o coiote uiva durante a noite. Pode também rosnar, grunhir, gemer e gritar. É a fêmea quem escolhe seu parceiro, e o casal permanece unido durante vários anos. A fêmea se instala numa toca para dar à luz. Enquanto ela toma conta de seus quatro a dez filhotes, o macho vigia e procura alimento. Os filhotes são presas fáceis para o lobo, o puma e o urso-pardo. No entanto, na idade adulta o coiote escapa facilmente de seus predadores porque é o mais rápido dos canídeos – pode correr a 60 km/h. Porém, este animal tem dois defeitos que às vezes lhe causam problemas: possui o mau hábito de se virar subitamente durante uma corrida e dorme profundamente.

O SURICATO

Este animalzinho é primo do mangusto e mede cerca de 50 cm de comprimento, sendo 20 cm para cauda. É um animal muito dócil que se deixa domesticar facilmente. É sociável e vive em grupos familiares que podem conter até 30 indivíduos. Sua toca pode compreender algumas galerias ou formar um verdadeiro labirinto com várias dezenas de metros, e comporta numerosas entradas. É nesta toca que a fêmea dá à luz dois a quatro filhotes. O suricato é carnívoro: come insetos, pequenos lagartos e anfíbios. Quando caça, salta sobre eles com uma rapidez e uma agilidade extraordinárias, depois mata-os mordendo sua nuca. O suricato é sensível ao frio, por isso o vemos com frequência como nesta foto: aquecendo-se ao sol, erguido sobre as patas traseiras e bem perto de seus companheiros. É também nesta posição vertical que se mantém atento à presença dos predadores. Quando um suricato dá o sinal de alarme, todos os outros mergulham nas tocas.

125

O CANGURU

O canguru é o marsupial mais famoso da Austrália. Vive em grupos com uma dezena de indivíduos chefiados por um macho mais velho. Locomove-se sobre as longas patas traseiras, dando saltos que podem ultrapassar os 10 metros de comprimento. Sua cauda comprida ajuda a manter o equilíbrio quando dá estes saltos, mas ele também a utiliza como apoio para descansar e para bater no chão a fim de alertar seus companheiros sobre algum perigo. Suas patas dianteiras são curtas e possuem garras. Servem para arrancar as plantas de que se alimenta, para pentear seu pelo e para se defender nos combates. Porém, sem dúvida, a característica mais marcante deste animal é a presença de uma bolsa marsupial na barriga da fêmea. Esta bolsa macia acolhe o minúsculo filhote de canguru logo após o seu nascimento. Ele mede, então, apenas 3 cm e não está completamente formado. Termina seu desenvolvimento dentro da bolsa e só sai de lá com sete a oito meses de vida.

A VÍBORA

H á muitas espécies diferentes de víboras. Elas podem ser facilmente reconhecidas por sua cabeça característica em forma de triângulo. Medem cerca de 70 cm de comprimento, mas as maiores espécies podem atingir 2 metros. Em geral, as víboras põem ovos (dizemos que são ovíparas), mas algumas espécies são vivíparas (a fêmea dá à luz pequenas serpentes já formadas). A víbora uma excelente caçadora, capaz de atacar com tamanha rapidez, que é quase impossível ver seu mov mento. Paralisa e mata pequenos roedores, mordendo-os com suas longas quelíceras venenosas. Cad uma destas quelíceras está ligada a uma glândula que fabrica o veneno injetado na presa quando ela mordida. Em seguida, a víbora devora sua presa inteira sem mastigar, depois a digere bem devagar.

O TATU

Que animal engraçado! Na verdade, juntamente com o pangolim, o tatu é o único mamífero que possui uma carapaça. Formada por placas ósseas, ela reveste seu corpo da cabeça até a cauda, como se fosse uma verdadeira armadura. Quando o tatu se sente ameaçado, enrola-se para se proteger. Alimenta-se de minhocas, plantas e, principalmente, de cupins e formigas. Consegue localizá-los com a ajuda de seu excelente olfato e escava o solo com uma rapidez incrível para desalojá-los e apanhá-los com sua língua grudenta. Este pequeno animal com 25 a 60 cm de comprimento pode viver em quase todas as partes do mundo, mas não suporta a aridez nem o gelo. Dorme numa toca que escava a 2 metros da superfície do solo e geralmente ocupa sozinho. Após quatro meses de gestação, a fêmea dá à luz dentro de sua toca, sempre a quatro filhotes. Sua carapaça aparece poucos dias após o nascimento.

O COELHO

O coelho vive numa toca. Ao menor sinal de perigo, bate no chão com as patas traseiras para avisar os outros coelhos, depois "mergulha" para se esconder. É dentro da toca que, após um mês de gestação, os coelhinhos nascem todos nus (não têm pelos), num leito de pelos preparado pela mãe. É lá também que a coelha amamenta seus filhotes durante cerca de vinte dias. Ela se reproduz bem depressa, com quatro ou cinco ninhadas por ano, cada uma de dois a sete filhotes. Em seis meses, pode ter mais de 200 descendentes! Ao nascer e ao pôr do Sol, todos estes coelhos se reúnem nas pradarias para comer capim e lamber o orvalho depositado sobre as plantas. O coelho tem um excelente olfato e está sempre farejando – é isso que faz quando mexe o focinho. Existem muitos coelhos selvagens, mas o homem domesticou algumas espécies para aproveitar sua carne, sua pele ou para transformá-los em animais de estimação e, desde o século 19, até de laboratório.

Bosques e florestas

O PERCEVEJO

Se encontrar um percevejo em cima de você quando estiver passeando pelo mato, não o esmague. Este inseto com o corpo em forma de escudo é inofensivo. A única coisa que ele pode fazer é deixar um cheiro forte e desagradável se for esmagado ou se sentir ameaçado. O percevejo que você vê nesta foto é um percevejo-das-plantas. Ele é fitófago, o que significa que se alimenta de plantas, mais precisamente da seiva das plantas. Porém, você precisa saber que alguns percevejos se alimentam de outros insetos e que os percevejos-das-camas, por exemplo, sugam o sangue dos mamíferos. Outros, ainda, podem transmitir doenças graves, como os barbeiros, que transmitem a doença de Chagas. Para sugar os líquidos (seiva ou sangue), o percevejo perfura a casca da planta ou a pele do animal com suas peças bucais pontiagudas.

O QUATI

Algumas vezes chamado de "ursinho", o quati tem as patas curtas e dotadas de fortes garras, mas a semelhança com o urso fica por aí. Na verdade, o quati parece mais um guaxinim com um corpo mais magro, uma cauda mais grossa e comprida e um focinho mais alongado e macio. Seu focinho serve para revirar o solo em busca de alimento. O quati é onívoro, por isso come de tudo: insetos, pequenos animais, ovos de aves, mas seus alimentos favoritos são as frutas. Vive em pequenos grupos e é arborícola. Na verdade, é um escalador muito hábil, sendo capaz de descer das árvores de cabeça para baixo, como o esquilo.

A CORUJA

Assim como seu primo mocho, a coruja é uma ave de rapina noturna (é ativa e caça durante a noite). Porém, a coruja tem uma aparência menos assustadora que a do mocho, talvez por ser toda arredondada: sua cabeça é arredondada, possui dois grandes olhos redondos, e suas asas também são arredondadas. A coruja nidifica em árvores ocas ou dentro de tocas. Pode até ir morar no seu sótão, se encontrar uma abertura no telhado! Suas penas são macias e lhe permitem voar silenciosamente. Come pequenos roedores, às vezes pequenas aves, rãs, caracóis, e principalmente insetos. Sempre captura suas presas no chão. Quando acaba de digerir sua refeição, regurgita pelo bico as partes não comestíveis em forma de bolinhas.

A RAPOSA

É um animal elegante, prudente e, principalmente, astuto. Para escapar de seus inimigos, deixa-o exaustos conduzindo-os por um terreno cheio de obstáculos, depois livra-se deles mergulhand num charco ou saltando para dentro de um pequeno esconderijo. A raposa-vermelha é um ani mal noturno: dorme durante o dia e caça à noite. Vive sozinha até a época do acasalamento. Um pou co antes do nascimento dos seis a doze filhotes, os pais preparam uma toca ou aproveitam uma antig toca de texugo. Até atingirem um mês de idade, as raposinhas mamam o leite da mãe. Depois, comer o alimento que seus pais pré-digerem e regurgitam. Por volta dos quatro meses, as raposinhas deixan os pais, que se separam e voltam a viver separados. Se não contraírem raiva nem forem vítimas dos den tes de animais mais fortes (como o lobo, o cachorro ou o lince) ou dos tiros de espingarda dos caçado res que caçam a raposa por causa de sua magnífica pele, podem viver entre oito e doze anos.

O PICA-PAU

O pica-pau pode ter várias cores. Possui um belo topete e um bigode, vermelhos no macho e pretos na fêmea. É um companheiro fiel. Na verdade, não existe divórcio para esta ave das florestas – depois de formado, o casal pemanece unido durante toda vida. O casal faz seu ninho nas árvores, onde ocupa um grande buraco. É neste alojamento que o macho e a fêmea chocam alternadamente seus três ou quatro ovos. O pica-pau nem sempre é fácil de ser observado, mas pode ser ouvido de muito longe graças ao seu "toc-toc-toc" característico, que ressoa na floresta. É o ruído que produz ao bater nas árvores com seu bico muito duro. É assim que alarga os túneis escavados sob a casca das árvores pelas larvas de insetos ou pelas formigas. Em seguida, com sua língua comprida e pontuda, atormenta os insetos e devora-os.

O TEXUGO

Este animal com a cabeça mascarada de branco e preto vive em grupos de cinco a doze indivíduos. O texugo é noturno e escavador, e se alimenta de pequenos animais (minhocas, toupeiras), de frutas, ou ainda de mel. Possui glândulas odoríficas, com a ajuda das quais marca seu território e impregna seus companheiros com seu cheiro durante as sessões de reconhecimento "traseiro com traseiro". Os texugos da Ásia são capazes até de segregar um odor repelente, como os cangambás e furões. Apesar disso, o texugo é um exemplo de limpeza: sua toca e seus arredores estão sempre incrivelmente limpos. Sua toca compreende sempre várias galerias e inúmeras aberturas que permitem a ventilação e a fuga. Algumas tocas são o resultado do trabalho de várias gerações de texugos e constituem verdadeiros labirintos que podem atingir 4 metros de profundidade e 2 km de largura!

Com sua grossa cauda em forma de penacho, este pequeno animal preto e branco do tamanho de um gato faz lembrar um bichinho de pelúcia ou um personagem de desenhos animados. Mas não se engane: o cangambá é primo do furão e, como ele, possui na base da cauda duas pequenas glândulas que produzem um líquido de cheiro repugnante! Quando se encontra em perigo, o cangambá pode atirar este líquido oleoso, fedorento e irritante sobre seu inimigo, causando alguns danos. Felizmente, o cangambá só usa esta defesa como último recurso. Na verdade, quando é incomodado, começa a rosnar ou assobiar e bater rapidamente no chão com as patas dianteiras. O cangambá tem hábitos noturnos – alimenta-se à noite, revirando a terra com suas garras compridas em busca de insetos, larvas, plantas ou pequenos animais. No fim do outono, já acumulou grandes reservas de gordura sob a pele. Escolhe, então, uma toca profunda onde passará todo o inverno com os quatro a seis filhotes que teve na primavera.

O CANGAMBÁ

O ESQUILO

Hábil escalador de olhar simpático e cauda em forma de penacho, este pequeno roedor é o acrobata da floresta. Possui um temperamento agitado e desordeiro. É também medroso e solitário, mas defende ferozmente seu território. Alimenta-se de brotos tenros, cascas, nozes, bolotas e, às vezes, ovos que rouba dos ninhos das aves. Durante a estação mais quente, organiza uma despensa e chega a acumular cerca de 100 kg de provisões, que enterra um pouco por todo lado e desenterra durante o inverno, quando os alimentos são raros. Instala seu ninho numa cavidade de uma árvore alta o suficiente para estar ao abrigo de seus predadores, que são o lince, a raposa e o mocho-real. Seu ninho é uma bola de folhas e galhinhos enfeitada com musgos e penas. É neste ninho que a fêmea dá à luz os quatro a seis filhotes de sua ninhada.

O Reino Animal

OS INVERTEBRADOS

A palavra "invertebrado" é utilizada para designar todos os animais que não possuem coluna vertebral. Por conseguinte, são agrupados sob o nome de invertebrados animais tão diferentes entre si quanto a medusa, a estrela-do-mar, a minhoca, o polvo, a mosca e a aranha! Os invertebrados são os animais mais numerosos e diversificados do planeta, e podem ser encontrados em todos os habitats (em cima e debaixo da terra, no ar, no mar e na água doce). Constituem mais de 95% do total de quase 2 milhões de espécies animais conhecidas na Terra. E ainda são mais numerosos que isso. Na verdade, todos os dias os pesquisadores descobrem novas espécies, das quais a grande maioria é constituída de invertebrados! Para estabelecer a classificação, são agrupados os animais que partilham características semelhantes, como sua forma (presença ou não de carapaça, número e formato das patas, simetria do animal, etc.), a disposição de seus órgãos e até suas particularidades de comportamento. No mundo dos invertebrados, são contados até 31 grandes grupos diferentes chamados de "filos". Porém, alguns destes grupos incluem apenas algumas espécies animais relativamente raras. Os invertebrados representados neste livro pertencem a quatro destes grupos, que estão entre os mais importantes. Trata-se dos cnidários, artrópodes, moluscos e equinodermos. O grupo dos artrópodes é o maior. Compreende cerca de um milhão de espécies, ou seja, 50% de todas as espécies do reino animal! Para saber mais sobre estes animais, você pode ler na página seguinte as principais características dos grupos de invertebrados apresentados neste livro. Isto poderá servir de base para você classificar os animais que encontrar nos seus livros ou observar em seus passeios pelos bosques ou praias.

Os **CNIDÁRIOS** compreendem as anêmonas, as gorgônias, os corais e as medusas. São animais principalmente marinhos, mas também podem ser encontrados em águas doces. Todos estes animais têm em comum sua simetria radial, isto é, seu corpo é disposto em raios ao redor de um eixo central, e a presença de tentáculos cujo número depende do grupo. Existem três classes de cnidários: os hidrozoários (as medusas pequenas), os cifozoários (as medusas grandes) e os antozoários (que compreendem os corais e as anêmonas).

Os **ARTRÓPODES** constituem o grupo de invertebrados mais importante em número de espécies. Este grupo está subdividido em várias classes, muitas das quais são bastante conhecidas em todo o mundo.
Os **ARACNÍDEOS** englobam as aranhas e os escorpiões. Não têm antenas, possuem quatro pares de patas e respiram por traqueias (pequenos tubos que encaminham o ar para o interior de seu corpo).
Os **MIRIÁPODES** compreendem as centopeias e as lacraias. Possuem um par de antenas, inúmeros pares de patas e uma respiração assegurada por traqueias. Além disso, as lacraias possuem um par de quelíceras venenosas como as aranhas.
Os **CRUSTÁCEOS** têm dois pares de antenas, uma carapaça calcária e cinco pares de patas. Sua respiração é feita por guelras. Vivem principalmente em águas salgadas (caranguejo, camarão, lagosta, etc.), mas também em águas doces (lagostim-vermelho).
Os **INSETOS** formam o grupo de artrópodes mais diversificado. Esta classe inclui mais de um milhão de espécies diferentes! Você pode identificá-los de acordo com os seguintes critérios: seu corpo é dividido em três partes bem distintas (cabeça, tórax e abdome), possuem um único par de antenas, três pares de patas, e geralmente são alados. A esta classe pertencem a libélula, a borboleta, a mosca, o mosquito, a formiga, a abelha, a joaninha e o besouro.

Os **MOLUSCOS** são animais de corpo mole. As três classes principais de moluscos são os bivalves, os gastrópodes e os cefalópodes.
Os **BIVALVES** são animais de água doce e salgada, cuja concha é formada por duas partes chamadas valvas (mexilhão, ostra). Não possuem a cabeça separada do resto do corpo.
Os **GASTRÓPODES** são terrestres ou aquáticos (água doce ou salgada). Têm uma concha de uma única peça, geralmente enrolada em espiral (como o caracol), ou não têm concha (como a lesma), e sua cabeça é bem distinta do resto do corpo. Seu corpo compreende um pé ventral que permite ao animal deslocar-se rastejando.
A terceira classe, a dos **CEFALÓPODES**, compreende animais marinhos cuja concha encontra-se, na maioria dos casos, no interior de uma prega da pele e cuja cabeça volumosa é prolongada por tentáculos (polvo, lula, náutilo).

Os **EQUINODERMOS** são animais exclusivamente marinhos. São encontrados em todos os mares do mundo e em todas as profundidades. Seu corpo é protegido por esqueletos calcários mais ou menos desenvolvidos, de acordo com o grupo – podem ser feitos de espículas espalhadas pela pele ou de placas calcárias que formam um esqueleto contínuo. Aliás, são os únicos invertebrados cujo esqueleto encontra-se dentro da pele, como nos vertebrados! Nos outros invertebrados que possuem esqueleto, ele é sempre externo. Seus espinhos são excrescências do esqueleto. Têm ainda a particularidade de serem o único grupo de animais cujo corpo pode ser dividido em cinco partes idênticas – o que chamamos de simetria pentâmera. Neste livro estão representadas duas das quatro classes de equinodermos: a dos asteroides (estrelas-do-mar) e a dos equinoides (ouriços-do-mar).

OS VERTEBRADOS

Os vertebrados apareceram sobre a terra há cerca de 450 milhões de anos. Seus primeiros representantes foram os peixes. Os peixes colonizaram cada vez mais o habitat terrestre e depois evoluíram, dando origem aos anfíbios e outros vertebrados. Muitos dos primeiros vertebrados desapareceram da face da Terra antes mesmo do surgimento do homem. Só conhecemos estes animais por meio de seus fósseis. É o caso, por exemplo, dos dinossauros, que são os antepassados dos répteis atuais. O conjunto dos vertebrados constitui uma superclasse no filo dos cordados. Estes animais caracterizam-se pelo grande desenvolvimento de seu sistema nervoso central, ou seja, do conjunto formado pelo cérebro e pela medula espinhal. Além disso, o cérebro está protegido por uma coluna vertebral. Os vertebrados possuem um coração e seu aparelho circulatório é fechado – constituído por artérias e veias. As artérias são os vasos sanguíneos que transportam o sangue oxigenado do coração para os diferentes órgãos do corpo, e as veias são os vasos que levam o sangue empobrecido dos órgãos para o coração. Os indivíduos pertencem sempre a um determinado sexo (não há hermafroditismo) e sua reprodução é sempre sexuada. O conjunto dos vertebrados compreende cerca de 45 mil espécies diferentes, que estão divididas em cinco grandes grupos:

- peixes
- anfíbios
- répteis
- aves
- mamíferos

Os peixes

Os peixes são os vertebrados mais antigos. Surgiram na Terra há 450 milhões de anos. Atualmente, são representados por cerca de 22.500 espécies. São animais de sangue frio, portanto a temperatura de seu corpo é igual à da água onde se encontram. Todos os peixes, jovens e adultos, vivem dentro da água doce ou salgada e respiram graças às brânquias. As brânquias são formadas por inúmeras lamelas dispostas dos dois lados da cabeça, numa cavidade chamada "câmara branquial". Nos peixes ósseos, como o atum e a truta, as câmaras branquiais estão protegidas por um opérculo (às vezes chamado também de "guelra"), que pode ser fechado. Por outro lado, nos peixes cartilaginosos, como a raia, o cação e o tubarão, as câmaras branquiais não são fechadas e podem ser vistas de fora: são as fendas branquiais. A água engolida pelo peixe passa da boca para as câmaras branquiais, onde estão mergulhadas as brânquias. Durante esta passagem, as brânquias absorvem o oxigênio contido na água. No entanto, existem alguns peixes que conseguem viver fora da água por várias horas. Na verdade, conseguem respirar fora da água porque têm pulmões além das brânquias, como os dipnoicos, ou porque sua boca é percorrida por inúmeros vasos sanguíneos através dos quais o seu sangue pode captar o oxigênio do ar! A pele dos peixes está coberta de escamas sobrepostas como as telhas de um telhado. Entretanto, os tubarões não possuem escamas, e sim uma pele coberta de minúsculos dentes. Eles não são visíveis a olho nu, mas se você passar a mão sobre a pele de um tubarão, verá que é áspera como uma lixa! Os peixes mantêm o equilíbrio impulsionando-se dentro da água graças a suas nadadeiras. Existem vários tipos de nadadeiras: peitorais, ventrais, dorsais, anais e caudais (a cauda).

Com exceção dos tubarões, os peixes são quase todos ovíparos. Os ovos são fecundados pelo macho depois que a fêmea os põe na água. Nos tubarões, ocorre acasalamento e a fêmea põe ovos já fecundados. Em algumas espécies, ela dá à luz filhotes quase formados. A maioria dos peixes possui uma bexiga natatória, isto é, uma espécie de "bolsa" situada dentro do corpo que pode ficar mais ou menos cheia de gás e permite ao peixe flutuar sem qualquer esforço.

Os anfíbios

Os anfíbios constituem uma classe de animais que compreende cerca de 3 mil espécies. São as rãs, os sapos, as salamandras e os tritões. Os anfíbios são os mais antigos animais tetrápodes, isto é, com quatro patas. Surgiram na Era Primária, há cerca de 350 milhões de anos. A palavra "anfíbio" significa que o animal pode viver tanto em terra como dentro da água. Todas as espécies atuais vivem em águas doces ou são terrestres. Porém, já foram encontrados fósseis que indicam claramente que, entre os antepassados dos nossos anfíbios, havia espécies que viviam em águas salgadas. A boca dos anfíbios é grande e dotada de pequenos dentes ocos. Os anfíbios não têm pêlos, nem escamas ou penas e sua pele precisa estar sempre úmida, do contrário o animal fica desidratado, seca e morre. Contudo, algumas espécies adaptaram-se bem à falta de umidade. E assim, encontramos espécies de sapos até nos desertos, onde passam o dia enterrados na areia! No entanto, embora possam ser encontrados em toda parte, os anfíbios precisam necessariamente encontrar um local onde haja água para pôr seus ovos. Os filhotes (ou larvas) parecem pequenos peixes e são chamados de girinos. Ao longo de sua vida na água, os girinos sofrem constantes metamorfoses: surgem as patas (primeiro as de trás, depois as da frente), a cauda regride e sua respiração aquática, que é realizada através de brânquias, é substituída pouco a pouco por uma respiração aérea, através de pulmões! A pele também tem um papel muito importante na respiração dos anfíbios: é através dela que se faz uma parte das trocas de gases (como o oxigênio) com o meio ambiente. Assim como os peixes, os anfíbios também não podem controlar a temperatura de seu corpo e são animais de sangue frio. Alguns anfíbios, como as rãs e os sapos, possuem uma língua viscosa que pode ser esticada. Servem-se dela para apanhar suas presas, esticando-a com grande velocidade, mais ou menos como faz o camaleão.

Os répteis

Os primeiros répteis surgiram na Terra no fim da Era Primária, há 300 milhões de anos. Os répteis estavam bem-adaptados às condições da época e prosperaram bastante durante a Era Secundária, tornando-se muito numerosos e diversificados. Naquele período eram representados, principalmente, pelos dinossauros, que certamente você conhece muito bem! No entanto, a maioria das espécies daquela época desapareceu no fim da Era Secundária, há 100 milhões de anos, por um motivo (ou vários) que ainda não é bem conhecido. Os especialistas acreditam que tenha sido por causa de um resfriamento do planeta, ou de um meteorito enorme que teria caído na Terra. Atualmente, existem cerca de 6 mil espécies de répteis na Terra. Com exceção das cobras e de alguns lagartos que não têm patas, os répteis (tartarugas, lagartos, crocodilos) são tetrápodes, isto é, têm quatro patas. Apesar disso, os répteis podem rastejar mais do que caminham. Aliás, seu nome latino "*reptilis*" é uma prova disso: vem de "*repere*", que significa rastejar! Na verdade, como seus membros são muito curtos e se encontram em posição lateral (situam-se nas laterais do corpo), a face ventral do corpo quase sempre toca o chão, mesmo quando se locomovem. A pele dos répteis é coberta de escamas unidas. Quando crescem, sua pele fica pequena demais e eles a trocam por outra, o que chamamos de "muda". Alguns répteis vivem dentro da água (como as tartarugas marinhas e as de água doce, e algumas cobras), mas a maioria é terrestre. Todos os répteis respiram com a ajuda de pulmões, até as espécies que vivem dentro da água. Em sua grande maioria, os répteis são ovíparos. Os ovos são sempre colocados num ninho em terra firme (as espécies aquáticas vêm à terra para pôr os ovos), mas a fêmea não os choca. São animais de sangue frio, portanto a temperatura de seu corpo depende da temperatura do ambiente. É por isso que muitas vezes vemos cobras ou lagartos se "bronzeando" ao sol de manhã. Desse modo, eles aumentam a temperatura do corpo, que baixou durante a noite fria, e desentorpecem os membros!

As aves

As aves surgiram na Terra no fim da Era Secundária, há 150 milhões de anos. Elas descendem dos répteis. A mais antiga das aves fósseis é o arqueópterix. Era um animal muito estranho: possuía uma cauda como a dos lagartos, um enfeite de penas como as aves atuais e um bico provido de dentes! As aves atuais abrangem cerca de 9 mil espécies. Estão perfeitamente adaptadas à vida aérea: são cobertas de penas e seus membros dianteiros transformaram-se em asas. Além disso, a maioria de seus ossos é oca e cheia de ar (são chamados de "ossos pneumáticos"). Esta característica torna o esqueleto bem mais leve, o que é uma evidente vantagem para o voo. No entanto, algumas aves, como o avestruz, o emu e o quivi, são incapazes de voar, embora sejam excelentes corredores! As aves foram os primeiros animais de sangue quente. Isso significa que são capazes de controlar a temperatura do corpo para que se mantenha constante, seja qual for a temperatura externa. Quando está frio, elas se aquecem produzindo energia; quando está calor, elas se esfriam transpirando, por exemplo. Todas as aves são ovíparas – põem ovos que chocam até a eclosão dos filhotes. O ovo tem sempre a mesma estrutura básica: é composto pela gema (vitelo) e pela clara (albumina), protegidas por uma casca calcária. O vitelo e a albumina servem de reserva para alimentar o embrião durante seu crescimento. Para que seu desenvolvimento ocorra normalmente, é necessário que haja uma temperatura constante. É por este motivo que as fêmeas chocam seus ovos. Algumas aves são sedentárias (passam a vida toda no mesmo lugar) e outras são migradoras (viajam de uma região para outra). As migrações ocorrem nas mudanças de estação – quando vai chegando o inverno, as aves voam para climas mais amenos, regressando na primavera seguinte. Assim evitam enfrentar temperaturas baixas demais, e principalmente continuam podendo encontrar o alimento que precisam. As aves insetívoras (que se alimentam de insetos), como a andorinha, por exemplo, são obrigadas a viver onde se encontram os insetos, e estes são muito sensíveis ao frio! Já os patos não sobrevivem se a água onde habitam estiver gelada, então precisam migrar para encontrar outras águas durante o inverno.

Os mamíferos

Os mamíferos surgiram na Terra durante a Era Secundária, há 200 milhões de anos, mas se multiplicaram durante a Era Terciária, há 50 milhões de anos, após o desaparecimento dos grandes dinossauros. Eles conquistaram todos os meios: existem mamíferos terrestres como o lobo, subterrâneos como a toupeira, aéreos como o morcego e aquáticos como o golfinho. Entre os mamíferos atuais existem cerca de 5 mil espécies. São animais vivíparos: seus ovos desenvolvem-se, parcial ou completamente, no ventre da fêmea, e os filhotes que nascem são parecidos com os pais – não precisam sofrer metamorfoses para se tornarem adultos. Porém, no caso dos marsupiais, como o canguru e o coala, o recém-nascido precisa completar seu desenvolvimento numa bolsa na barriga da mãe. As únicas exceções são os representantes do grupo dos "monotremados", como a equidna e o ornitorrinco. Esses mamíferos primitivos põem ovos como as aves e chocam-nos em sua toca! Todas as fêmeas dos mamíferos amamentam seus filhotes. Fazem isso através de mamas, com exceção dos monotremados, que não possuem mamas, e sim glândulas mamárias por onde o leite escorre. As mamas (ou tetas) estão sempre presentes em número par. Podem variar de um par de mamas, como nos macacos e no homem, a dez pares, como em alguns insetívoros. Este número está sempre relacionado ao número de filhotes que a fêmea dá à luz. Assim como as aves, os mamíferos também são animais de sangue quente e mantêm a temperatura do corpo constante. São os únicos animais que têm pelos! Estes pelos podem ser mais ou menos abundantes, até formarem uma espessa pelagem que constitui uma proteção muito eficaz contra o frio. Todos os mamíferos respiram por meio de pulmões, incluindo os mamíferos aquáticos como o peixe-boi, a baleia e o golfinho. O regime alimentar dos mamíferos é muito variado e depende de cada espécie. Eles podem ser carnívoros (alimentam-se de carne, como o leão e o lobo), herbívoros (alimentam-se de plantas, como os antílopes), piscívoros (alimentam-se de peixes, como o golfinho), insetívoros (alimentam-se de insetos, como o tamanduá), necrófagos (alimentam-se de carniça, como a hiena), onívoros (alimentam-se de várias coisas, como o porco e o homem) ou até hematófagos (alimentam-se de sangue, como o morcego-vampiro). Os mamíferos geralmente apresentam duas dentições sucessivas: primeiro os dentes de leite, depois os dentes definitivos. A dentição definitiva tem alguns dentes a mais que a dentição de leite. A dentição definitiva é muito importante, porque é um dos principais critérios utilizados para a classificação dos mamíferos. No entanto, existem alguns mamíferos que não possuem dentes, ou têm apenas alguns: é o caso do grupo dos desdentados, que compreende o tamanduá, o tatu e a preguiça.

Índice alfabético

A
Águia-real 62-63
Anfíbios 150-151
Anta 56
Arara 52-53
Aves 154-155
Avestruz 18

B
Babuíno 21
Baiacu-de-espinho 100
Baleia 88
Barracuda 89

C
Cabra-de-leque 37
Camaleão 43
Cangambá 142
Canguru 126-127
Cão-da-pradaria 122
Cascavel 30
Castor 105
Cavalo-marinho 93
Cegonha 117
Chimpanzé 44-45
Cisne 107
Coelho 130-131
Coiote 124
Coral 90
Coruja 136-137
Crocodilo 108-109

D
Dromedário 28-29

E
Elefante 12-13
Emu 123
Escorpião 34-35
Esquilo 143
Estrela-do-mar 92

F
Falcão-peregrino 70-71
Feneco 31
Foca 80-81

G
Girafa 16-17
Golfinho 91
Gorila 48
Guaxinim 114
Guepardo 14-15

H
Hipopótamo 20

I
Iguana 49
Invertebrados 144-145

J
Jiboia 42

L
Lagarto-de-chifres 36
Leão 10-11
Leão-marinho 74-75
Lêmure 50
Leopardo 24-25
Lhama 64
Libélula 112
Lontra 113
Lúcio 118

M
Mamíferos 156-157
Mangusto 32
Marmota 66
Martim-pescador 116
Medusa 95
Morsa 76

N
Naja 38

O
Ocelote 47
Orangotango 51
Orca 84-85
Órix 33

P
Panda-gigante 67
Peixe-boi 94
Peixe-palhaço 101
Peixes 148-149
Percevejo 134
Pica-pau 140
Pinguim 82-83
Píton 54
Puma 65

Q
Quati 135

R
Rã 110-111
Raia 96
Raposa 138-139
Raposa-do-ártico 77
Rato-canguru 39
Reino animal 144
Répteis 152-153
Rinoceronte 22-23

S
Salamandra 115
Sapo 106
Sucuri 104
Suricato 125

T
Tamanduá 55
Tartaruga marinha 97
Tartaruga terrestre 46
Tatu 129
Texugo 141
Tigre 58-59

Truta 119
Tubarão 98-99
Tucano 57

U
Urso-pardo 68-69
Urso-polar 78-79

V
Vertebrados 146-147
Víbora 128

Z
Zebra 19